D1293213

★この作品はフィクションです。実在の人物・
団体・事件などには、いっさい関係ありません。

JUMP COMICS

ジョジョの奇妙《きみょう》な冒険《ぼうけん》

第《だい》47巻《かん》

さよなら杜王町《もりおうちよう》—黄金《おうごん》の心《こころ》の巻《まき》

荒《あら》木《き》飛《ひ》呂《ろ》彦《ひこ》

ジョースター家《け》のルーツ

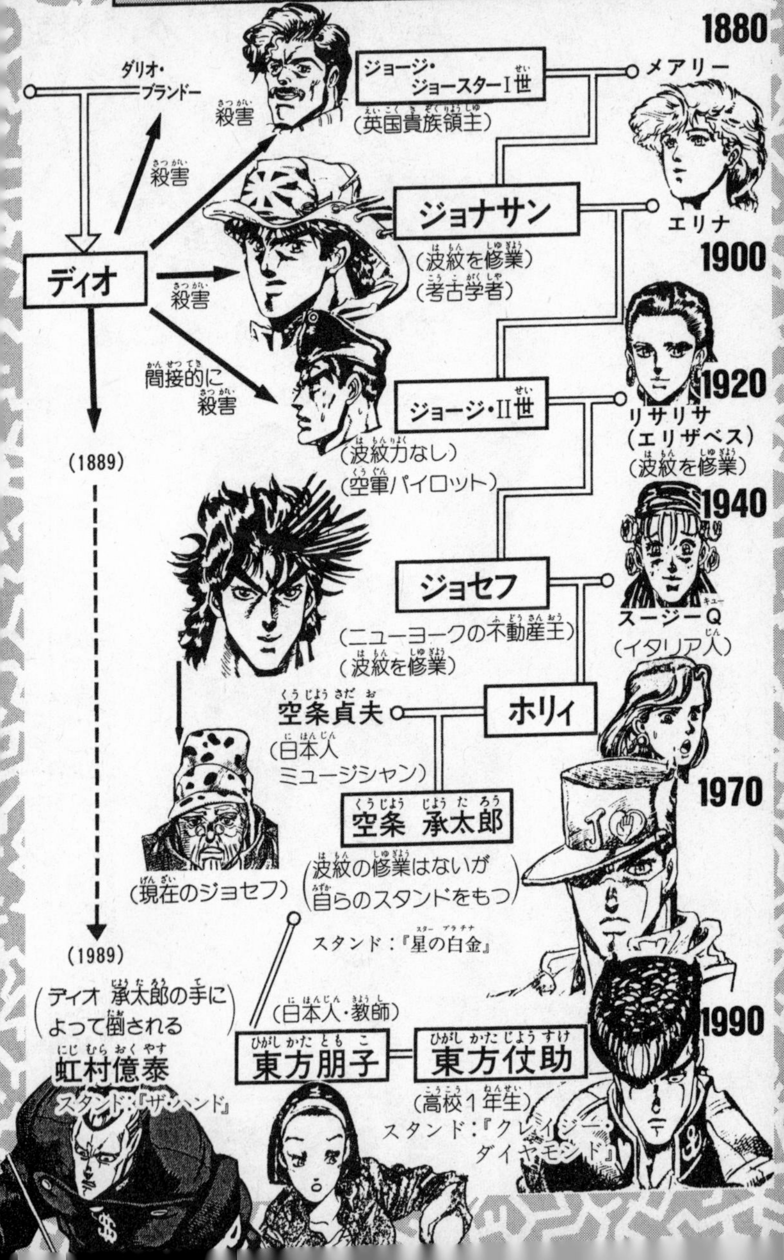

空条承太郎《くうじょうじょうたろう》

守護霊《しゅごれい》にも似《に》た超能力《ちょうのうりょく》、スタンドを持《も》つ。ディオを倒《たお》したのち、海洋《かいよう》冒険家《ぼうけんか》として名《な》を成《な》す。

東方仗助《ひがしかたじょうすけ》

杜王町《もりおうちょう》の高校《こうこう》1年生《ねんせい》。髪型《かみがた》のことをけなされるとプッツンくる直情型《ちょくじょうがた》。血縁上《けつえんじょう》は承太郎《じょうたろう》の「叔父《おじ》」にあたる。

川尻早人《かわじりはやと》

川尻浩作《かわじりこうさく》（吉良吉《きらよし》影《かげ》）の息子《むすこ》。スタンド能力《のうりょく》はない。

吉良吉影《きらよしかげ》

凶悪殺人鬼《きょうあくさつじんき》。
スタンド：
『キラークィーン』

前巻《ぜんかん》までのあらすじ

これは一世紀《せいき》以上《いじょう》にわたるディオとジョースター家《け》の因縁《いんねん》の物語《ものがたり》である…。

現代《げんだい》の日本《にほん》──。ジョセフ・ジョースターの孫《まご》、空条承太郎《くうじょうじょうたろう》（ジョジョ）はスタンドと呼《よ》ばれる超能力《ちょうのうりょく》を持《も》っていた。その影響《えいきょう》により倒《たお》れた母《はは》を救《すく》うため、その元凶《げんきょう》、ディオを倒《たお》すため、ジョジョと仲間《なかま》たちはディオのいるエジプトに向《む》かった…。仲間《なかま》を次《つぎ》つぎに失《うしな》いつつも承太郎《じょうたろう》はディオを倒《たお》した…。

＊　＊　＊

一九九九年《ねん》の日本《にほん》。地方都市《ちほうとし》、S《エス》市《し》杜王町《もりおうちょう》ではディオの能力《のうりょく》を引《ひ》き出《だ》した「弓《ゆみ》と矢《や》」によって、スタンド使《つか》いが増《ふ》やされていた!! 殺《さつ》人鬼《じんき》、吉良吉影《きらよしかげ》は川尻浩作《かわじりこうさく》に姿《すがた》を変《か》え、杜王町《もりおうちょう》に潜伏《せんぷく》していた。川尻浩作《かわじりこうさく》の息子《むすこ》、早人《はやと》は吉良《きら》のスタンドに操《あやつ》られながらも、その勇気《ゆうき》の心《こころ》で吉良《きら》の正体《しょうたい》を仗助《じょうすけ》たちの前《まえ》に明《あき》らかにした。そして、遂《つい》に仗助《じょうすけ》たちは吉良《きら》を追《お》いつめた!!

ジョジョの奇妙《きみょう》な冒険《ぼうけん》

GioGio

第《だい》47巻《かん》

さよなら杜王町《もりおうちょう》

—黄金《おうごん》の心《こころ》の巻《まき》

もくじ

思《おも》い出《だ》させてあげる

「思《おも》い出《だ》させてあげる

?
パタパタ
……
パタパタ
……
パタ
パタ
パタ
パタ
何《なん》だ？
今《いま》のは？
よくわからなかったが…小鳥《ことり》が背後《はいご》から来《き》て…
どうなったんだ
野鳥《やちょう》にしてはずいぶん人《ひと》に近《ちか》づいてくるな
?
?

…そういえば
ここは杜王町《もりおうちょう》の・・・どこだ？
？
この道《みち》… いつもの通勤路《つうきんろ》じゃあないが…
『バイツァ・ダスト』で時《とき》が一時間《じかん》ほど戻《もど》ったのならわたしは今《いま》……
「通勤途中《つうきんとちゅう》」の……はずだが
今《いま》 何時《なんじ》だ ？
ス…
！
そうだった 手首《てくび》に…コーヒーを こぼして火傷《やけど》をしたんで
腕時計《うでどけい》を胸《むね》ポケットに入《い》れていたんだった

ゴゴゴ
何《なん》だ？
何《なん》だ いったい これは…!?
ゴゴ
なぜ 壊《こわ》れているッ!? 8時《じ》29分《ふん》だッ!
『バイツァ・ダスト』は作動《さどう》したのだッ!
「早人《はやと》」のやつが『猫草《ストレイキャット》』で壊《こわ》したこの腕時計《うでどけい》だって元《もと》どおりに なっているはずだぞッ!!
気《き》づいてないの？
自分《じぶん》に何《なに》が起《お》こったのか？

……
……
ドドドド
ドドド
ドドドド

露伴《ろはん》ちゃんの撮《と》った写真《しゃしん》に写《うつ》っていた「川尻浩作《かわじりこうさく》」が……「吉良吉影《きらよしかげ》」だったのね……
そして……
ドドドドドド
とうとう終《お》わったのね？……みんなが……ついに「吉良吉影《きらよしかげ》」……あんたを追《お》いつめたのね…
誰《だれ》だおまえは？
ドドドド
あたしの事《こと》覚《おぼ》えてないの？
そうね…無理《むり》もないわ15年《ねん》も昔《むかし》の事《こと》だものね
でも あたしの事《こと》なんかより ずいぶん すさまじい事《こと》が 起《お》こった みたいね？
自分《じぶん》に何《なに》が起《お》こったのか気《き》がつかないほどすさまじい事《こと》が……
ドドドドドド

何者《なにもの》だと聞《き》いているのだッ! きさま 新手《あらて》の『スタンド使《つか》い』かッ!?
気《き》づかせてあげるわッ! すでに 自分《じぶん》が死《し》んでしまっているという事《こと》を!!
何《なん》だと?

ドドド
……
ドド

うわああああああ
これは『スタンド能力《のうりょく》』なんかじゃあ ないのよ！
・・・ここにいるのはッ！死《し》んだ殺人鬼《さつじんき》のドス黒《ぐろ》い ただの「魂《たましい》」だけっていう証明《しょうめい》なのよッ！
あああああああ
どう？思《おも》い出《だ》せた？
ねえ!?
思《おも》い出《だ》したかしらッ!? どうやって「自分《じぶん》が死《し》んだ」のかを！

ドーン

まずいぜ……………!
もう少《すこ》しだけ近《ちか》づかねーと……
ここで「時《とき》」を止《と》めてもヤツまでは遠《とお》すぎる……
まだ間《ま》に合《あ》わねえッ!
「スイッチ」を押《お》させるな———ッ
ドドドド
いいや!限界《げんかい》だ押《お》すね!
ドドドド
今《いま》だッ!
ド

ズ

ドドドド
『ACT《アクト》 3《スリー》 FREEZE《フリーズ》!!』
射程距離《しゃていきょり》5メートルに到達《とうたつ》しましたS·H·I·T《エスエイチアイティー》!
この…
な……
ドド

クソカスどもがァ——ッ!!
グ
『スタープラチナ・ザ・ワールド』!

ドォ
康一《こういち》くん……
君《きみ》は 本当《ほんとう》に頼《たの》もしいヤツだ
この町《まち》に来《き》て君《きみ》と知《し》り合《あ》えて本当《ほんとう》に良《よ》かったと思《おも》ってるよ…
そしてやれやれ
間《ま》に合《あ》ったぜ……

オラオラオラオラオラ
オラオラオラオラ
オラオラオラ
「時《とき》」は動《うご》き出《だ》す

うげあああああ——っ
や……やったッ！承太郎《じょうたろう》さんッ！

間《ま》に合《あ》ったぞ!
押《お》してやる……押《お》してやる
今《いま》だ!
押《お》すんだ! 今《いま》!「スイッチ」を…
押《お》すんだ………

町《まち》の守《しゅ》護《ご》聖《せい》霊《れい》

今《いま》だ……
『バイツァ・ダスト』は……
作《さ》動《どう》するんだ
押《お》すんだ……
「スイッチ」を……
「押《お》すんだ」……
ハァハァハァ
今《いま》だ……
「スイッチ」を……
入《い》れてやる……

おいストーップストーップ!!
そこに誰《だれ》か倒《たお》れているぞーッ
ハー……
きゃああああああああ

……
何《なに》!?
うわああああああ

た…たいへんだ！男《おとこ》が救急車《きゅうきゅうしゃ》の下《した》じきになったぞッ！
いるのに気《き》づかなかった！
戻《もど》してッ！車《くるま》を戻《もど》してッ！
ドタ ドタ ドタ ドタ
あんたたち囲《かこ》いのテープから外《そと》に出《で》てッ!!
下《さ》がってッ！早《はや》く下《さ》がってッ！出《で》なさいッ！
ドドド ドタ ドタ
あんたもケガ人《にん》か？
ドドド
だめです
杜王
死亡《しぼう》してます
即死《そくし》です

……！
死《し》んだ……？
救急車《きゅうきゅうしゃ》の後方《こうほう》は確認《かくにん》してたんです…
いつの間《ま》にかこの男性《だんせい》がまるで自分《じぶん》から飛《と》び込《こ》んでくるように倒《たお》れていたんです
杜王消防署
わたしの責任《せきにん》です…
言《い》いわけするつもりはありませんがおさえつけるヒマもありませんでした
何《なん》てこった…
この男性《だんせい》…すでにケガしてまして……
そのせいかかなり精神《せいしん》が錯乱《さくらん》してました……
「モナリザの手《て》」がどうのとかわけのわからない事《こと》を口走《くちばし》っていましたし……
しかし何《なん》ていう事《こと》だ……！
ちょうど地面《じめん》とタイヤにはさまれて顔《かお》の皮膚《ひふ》がはぎ取《と》られているぞ……
身元《みもと》はわかるかな？

吉良《きら》ヨシカゲ…
と…
自分《じぶん》で名乗《なの》っていました
………
吉良《きら》？
勾当台《こうとうだい》に吉良《きら》さんという 古《ふる》い家《いえ》がある
確《たし》か一人《ひとり》暮《ぐ》らしだったと思《おも》うから家族《かぞく》はいないかも……
たぶん歯形《はがた》の記録《きろく》で確認《かくにん》できるだろう……

「事故死《じこし》」か……
ヤツの最期《さいご》は「事故死《じこし》」……
でもこれでいいんだ……
あいつは法律《ほうりつ》では決《けっ》して裁《さば》く事《こと》はできない
これが一番《ばん》いいんだ
ぼくは……ぼくのパパと……
別《べつ》に仲《なか》よしじゃあなかったけど
ぼくのパパはあいつに殺《ころ》された
ぼくは「裁《さば》いて」ほしかった……
あいつを誰《だれ》かが「裁《さば》いて」ほしかった

ドドドド
うわあああああ
あああああああ
ああああああああ
ド
ダラ
ダラダラ
ス
スス

思《おも》い出《だ》したようね……吉良吉影《きらよしかげ》……
……
どうやって自分《じぶん》が死《し》んだのか…？
「思《おも》い出《だ》したようね……」
何者《なにもの》だ⁉きさまッ！
ドド
誰《だれ》なんだ⁉おまえは⁉
ド
ドド
ドド

15年前《ねんまえ》 あんたは 『スタンド能力《のうりょく》』を 持《も》ってなかったので 死体《したい》を 消《け》せなかった…
だから 『あたしが死《し》んだ事《こと》』 新聞《しんぶん》にも 載《の》ったわよ…
この『背中《せなか》の傷《きず》』に 見覚《みおぼ》えはない？
それとも 初《はじ》めての「殺《ころ》し」 だったんで 「手《て》」を持《も》って行《い》きそこねちゃったから あたしの事《こと》 印象《いんしょう》 薄《うす》いのかしらッ⁉

ヌ
…おまえ……か
…確《たし》か「杉本鈴美《すぎもとれいみ》」……
ガシィ
きさまッ！「15年《ねん》」も ここで 何《なに》をしているッ!?

ピタリ
待《ま》てよ……！
何《なん》のために　おまえは　わざわざ　背中《せなか》の傷《きず》まで見《み》せて　自分《じぶん》の正体《しょうたい》を明《あ》かす？
ひょっとして　この場所《ばしょ》
「ふり向《む》いては　いけない」とかいう「場所《ばしょ》」じゃあ　ないだろうな？
ゴ
わたしの「おやじ」が言《い》っていた…
この町《まち》には「死者《ししゃ》の魂《たましい》」の通《とお》り道《みち》があって
そこには　決《けっ》して　ふり向《む》いては　いけない場所《ばしょ》が　あると……
ふり返《かえ》ってしまうと　どうしようもない　パワーで……　どこかに引《ひ》きずり込《こ》まれていくらしい
そういえば　そこに　女《おんな》の　幽霊《ゆうれい》もいると　言《い》っていた
その時《とき》は　バカバカしい　話《はなし》と　思《おも》って　聞《き》いていたが
ゴ
ゴ
ゴ
ゴ
ゴ
ゴ

ゴゴゴ
ゴ
ひょっとしておまえ……？
わざと「背中《せなか》の傷《きず》」を見《み》せてわたしを自分《じぶん》より前《まえ》に出《だ》し ふり向《む》かせようとしていたんではあるまいな？
わたしをはめようとしていたのではあるまいな？
ゴ
ズッ
ゴゴゴ
ゴ
……おまえが……ふり向《む》いてみろ……？
ン？
……どうなるか……見《み》てみたい！
わたしが死《し》んだというのならこれから わたしはここで幽霊《ゆうれい》として生活《せいかつ》するってわけだ
うっ
うっうっ
ゲゲゲ
ググ

それも 悪《わる》くないかもしれない……
けっこう 生《い》きてる時《とき》より
私《わたし》の求《もと》める
「安心《あんしん》した生活《せいかつ》」が
ここにこそ あるのかもしれないしな…
さあ! ふり向《む》けよッ!
〜〜〜
おまえがふり向《む》くのだ——ッ!
あたしが予想《よそう》しなかったと思《おも》う? あんたが あたしに対《たい》し こういう風《ふう》にするだろうと いう事《こと》を
予想《よそう》しなかったと思《おも》う?
わたしたちは 15年《ねん》…あんたが ここに来《く》るのを 待《ま》ってたのよ
たち?

アーノルドッ！

ドゴァァ
ううッ!!

何《なに》ィィィイイイイイイイイイイイイイイイ

裁《さば》いてもらうがいいわッ！
吉良吉影《きらよしかげ》

何《なん》だ……？
こいつらはいったい何《なん》なんだ？
さよなら杜王町《もりおうちょう》―黄金《おうごん》の心《こころ》
『キラークイーン』ッ！
こいつらを爆破《ばくは》しろォーッ!!

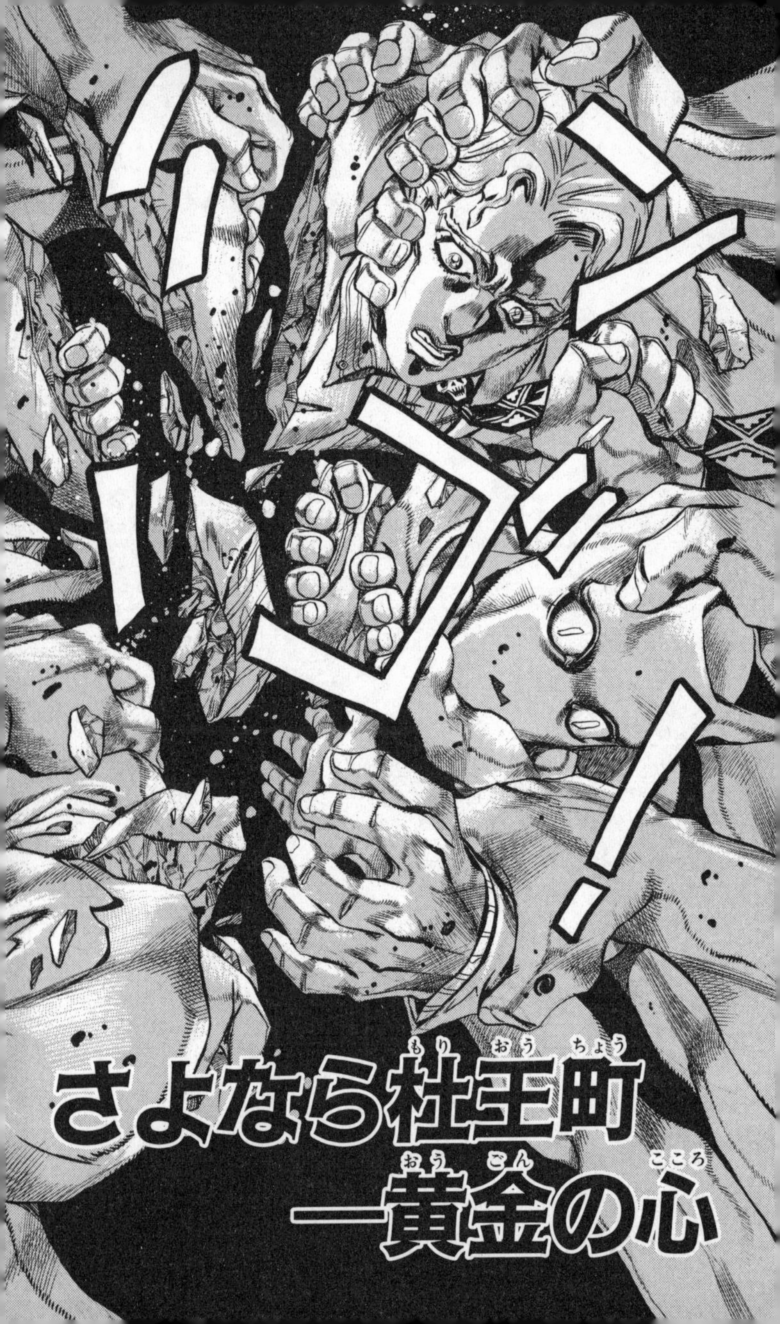
さよなら杜王町《もりおうちょう》
―黄金《おうごん》の心《こころ》

あっ
ああ……
ど…どこに？
わたしはどこに…
連《つ》れていかれるんだ……？あ…ああ
さあ……？
でも……「安心《あんしん》」なんてない所《ところ》よ…
少《すく》なくとも………

うわああああああああああああ

ズバァーーーン
OWSON
……
ドドドドドド
……
ドドドド
ドドドドド
これでやっと…
やっと行けるわね
あたしたち……

ドドドドドド
ピーポー
ピーポー
ピーポー
ピーポー
ピーポー
ドドドドドド
……
ドドドド
……
ドドド
OWSON
N
ドドド
ドドド
……
ドド

OWSON
れ…鈴美《れいみ》さん
い…行《い》っちゃうって本当《ほんとう》ですか?
まだ…しばらく居《い》てもいいんじゃないですか……
この町《まち》の守《まも》り神《がみ》がいなくなるって感《かん》じだし
ぼく毎日《まいにち》ここへ遊《あそ》びに来《き》ますから!!
あなたがいなくなるなんてぼく不安《ふあん》です!
ありがとう
でもあたしたちがこの町《まち》ですべき事《こと》はもう何《なに》もないわ
この町《まち》を去《さ》る時《とき》が来《き》たの行《い》かなきゃいけないの……
それとも露伴《ろはん》ちゃん
あたしがいなくなったらさびしいって泣《な》くかしら?
……
バカ言《い》えよ!なぜぼくがさびしがるんだ?
君《きみ》は15年《ねん》も前《まえ》にすでに死《し》んでいるんだぜ!
前《まえ》にも言《い》ったがこの世《よ》の「未練《みれん》」とか何《なん》とか言《い》ってないで……
さっさとあの世《よ》へ行《い》くってのが正《ただ》しい幽霊《ゆうれい》のあり方《かた》だってのはかわらない意見《いけん》なんだぜ……
フン!
……
……
……

ああ！わかったよ！最後《さいご》だから 本心《ほんしん》を言《い》ってやるッ！
さびしいよ！
ぼくだって行《い》ってほしくないさ！
ドドドドドド

ドドドドドド
さよなら
鈴美《れいみ》さん
死《し》んだ人《ひと》に言《い》うのも何《なん》だけどよー
元気《げんき》でな
おれもさびしいよー
ドドドドドド
あんたはりっぱな女性《じょせい》じゃ
あんたの事《こと》はここにいる誰《だれ》もが忘《わす》れはしないじゃろう
・・・・・・
・・・・・・
ドドドドドドドド

ありがとう
みんな…
さようなら
…みんな…
ドドドドドド

……………
シィイィーーーン
あの人《ひと》……
今晩《こんばん》……遅《おそ》いわね……
残業《ざんぎょう》かしら……？
……………
電話《でんわ》ぐらいしてくれてもいいのに
あ…早人《はやと》…
さめちゃうから先《さき》食《た》べちゃって……
あたしはパパが帰《かえ》ってから食《た》べるから……
……………

…………
ガタリ
う……
うっ……
ぼくも……
待《ま》ってる……よ……
ぼくも……
パパが……帰《かえ》ってから……いっしょに食《た》べるよ……
…………
そう……
ところで あんた…最近《さいきん》 背《せ》のびた?

ぼく(広瀬康一《ひろせこういち》)――の住《す》む…ぼくたちの町《まち》……『杜王町《もりおうちょう》』は とても深《ふか》く傷《きず》ついた……
いや…
正確《せいかく》に言《い》えば『町《まち》が生《う》んだ 吉良吉影《きらよしかげ》という怪物《かいぶつ》によって 町自身《まちじしん》は傷《きず》つけられた……』
早人《はやと》くんのママはご主人《しゅじん》の帰《かえ》りをずっと待《ま》つのだろう…
「重《しげ》ちー」の家族《かぞく》は 息子《むすこ》が帰《かえ》るのをずっと待《ま》つのだろう……… 吉良吉影《きらよしかげ》に殺《ころ》された娘《むすめ》や兄弟《きょうだい》の帰《かえ》りを 家族《かぞく》たちは これからもずっと待《ま》つのだろう………

傷《きず》の痛《いた》みが　深《ふか》くあらわれてくるのはこれからなのだろう……いったい…この「痛《いた》み」は　どうやって癒《いや》せばいいのだろう？
ザバァア
ぼくにはわからない…町《まち》の未来《みらい》にとって命取《いのちと》りになるのかさもなくば　いずれ消《き》え去《さ》るのだろうか——ぼくには　わからない
心配《しんぱい》か？承太郎《じょうたろう》……
他《ほか》に　まだ吉良《きら》のような「スタンド使《つか》い」がいるかもしれないのに……
この町《まち》を去《さ》ってしまっていいものかと……
……ああ
少《すこ》しな……

この杜王町《もりおうちょう》の今回《こんかい》の事件《じけん》に関《かか》わる仗助《じょうすけ》たちを見《み》ていて……ひとつだけ言《い》える事《こと》を見《み》つけたよ
……
この町《まち》の若者《わかもの》は
『黄金《おうごん》の精神《せいしん》』を持《も》っているという事《こと》をのォ
かつて わしらもエジプトに向《む》かう時《とき》に見《み》た……
「正義《せいぎ》」の輝《かがや》きの中《なか》にあるという『黄金《おうごん》の精神《せいしん》』を……
わしは仗助《じょうすけ》たちの中《なか》に見《み》たよ……
それがあるかぎり大丈夫《だいじょうぶ》じゃ……
彼《かれ》らの示《しめ》した その「精神《せいしん》」は吉良《きら》の事件《じけん》を知《し》らない他《ほか》の人々《ひとびと》の心《こころ》の中《なか》にも教《おし》えなくとも 自然《しぜん》としみわたって行《い》くものじゃ
そして次《つぎ》なる世代《せだい》にもな………

この町《まち》は もう
心配《しんぱい》ないよ
おい！
じじいッ！
聞《き》こえ
ねーのかよ
じじいーーッ!!
どれ…
今《いま》一度《ど》
我《わ》が誇《ほこ》り高《たか》き
息子《むすこ》に 別《わか》れを
言《い》おうかのう！
おい
じじいッ！
さっき渡《わた》した
おれのお袋《ふくろ》の
写真《しゃしん》よォ――ッ
ちゃんと
持《も》ったア
――ッ？
ああ
おまえの言《い》うとおり
ちゃんと財布《さいふ》に
入《い》れたよ――ッ
おまえの
母《かあ》さんには
会《あ》わずに
行《い》くが……
幸《しあわ》せを
祈《いの》っておるよー
――ッ
ポンポン
そう…
入《い》れたのね
……？
フフ
これ
写真《しゃしん》の
切《き》れっぱしね
お財布《さいふ》
に…
『クレイジー・ダイヤモンド』!!

ドギャン
!
あっ!!
もらっとくぜーーッ
父親《ちちおや》ならよォーー息子《むすこ》にお小遣《こづか》いくれてくもんよねェ〜〜〜〜ッ!
それにお袋《ふくろ》の写真《しゃしん》家《いえ》に持《も》って帰《かえ》ったらまた バアちゃんともめちゃうぜ〜〜
こっ…〜〜このガキ…
『黄金《おうごん》の精神《せいしん》』を持《も》ってるってセリフ……
撤回《てっかい》するかい?じじい
元気《げんき》でなあ〜〜〜ッ!

『猫草《ストレイキャット》』は……
億泰《おくやす》くんのお父《とう》さんを とても気《き》に入《い》り
問題《もんだい》なく くらしている。
億泰《おくやす》くんも それでいいと思《おも》っている。
ンニャン
『透明《とうめい》の赤《あか》ちゃん』は…… 母親《ははおや》が依然《いぜん》
行方不明《ゆくえふめい》のままで
結局《けっきょく》 ジョセフ・ジョースターさんの養子《ようし》となった。
なお そのさい 奥《おく》さんのスージーＱ《キュー》さんに
「またもや隠《かく》し子《ご》か?」と疑《うたが》われ 一騒動《ひとそうどう》
あった事《こと》は 言《い》うまでもない。
そのおかげかどうか知《し》らないが ボケぎみだった
ジョースターさんは 最近元気《さいきんげんき》になってきている。
『空条承太郎《くうじょうじょうたろう》』さんは……
杜王町《もりおうちょう》の滞在中《たいざいちゅう》に執筆《しっぴつ》した
海岸《かいがん》で見《み》たヒトデに
関《かん》する論文《ろんぶん》で
「博士号《はかせごう》」をとった。
ドドドド
ドドドド
こうして 一九九九年《ねん》の 夏《なつ》は…… ほとんどの 人々《ひとびと》にとって いつもの夏《なつ》と 同《おな》じように あたり前《まえ》に… すぎていった

バーン

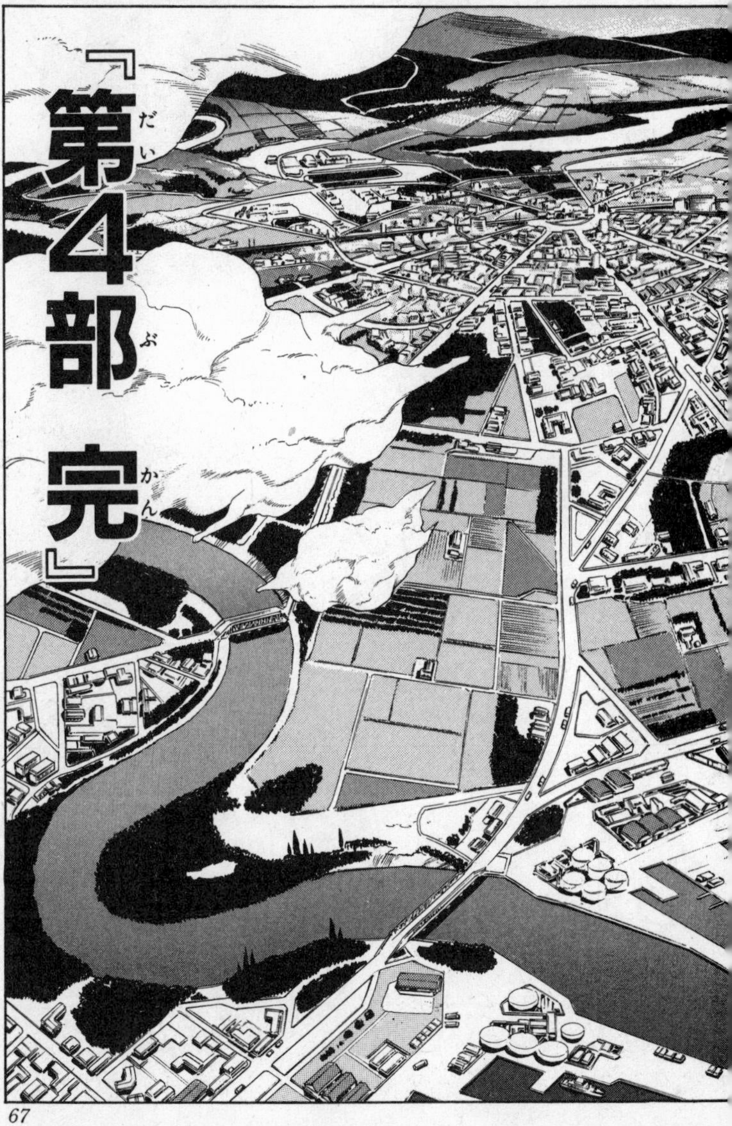
『第《だい》4部《ぶ》完《かん》』

JOJO
JoJo's bizarre adventure
1995 Thank u.

●ハガキ用《よう》カット(1995 秋冬《あきふゆ》)

94
JoJo's BIZARRE ADVENTURE PART IV
199
11
JOJO
LUCKY LAND

●ハガキ用《よう》カット(1994 春夏《はるなつ》)

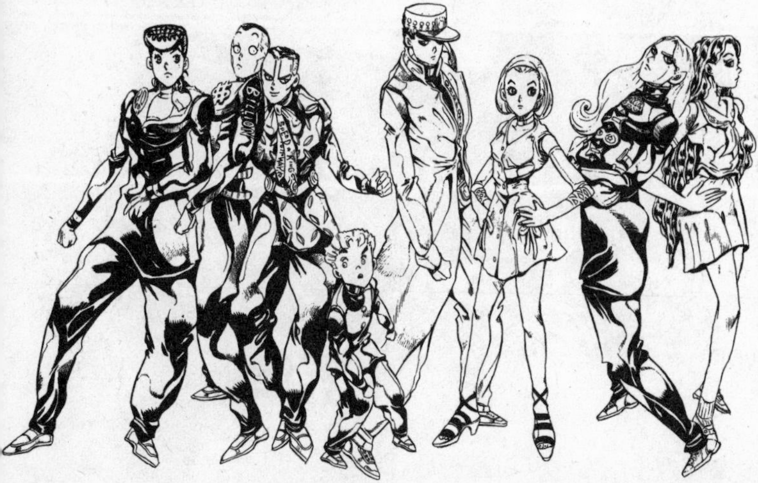

●ハガキ用《よう》カット(1995—96　秋冬《あきふゆ》)

西暦《せいれき》２００１年《ねん》……
21世紀《せいき》になって
早《はや》３ヵ月《げつ》が
すぎました
途中《とちゅう》まで観《み》て
眠《ねむ》っちゃったＳＦ《エスエフ》映画《えいが》
『2001年《ねん》宇宙《うちゅう》の旅《たび》』では
人類《じんるい》は 木星《もくせい》まで
行《い》ってましたけれども
……
黄金体験《ゴールド・エクスペリエンス》
その①
ぼく…広瀬康一《ひろせこういち》…は
古《ふる》い歴史《れきし》と経済危機《けいざいきき》の国《くに》
「イタリア」旅行《りょこう》に来《き》ていた
……
それも
承太郎《じょうたろう》さんから
『奇妙《きみょう》な仕事《しごと》』を
引《ひ》き受《う》けて…
SECURITY
JAL

黄金体験《ゴールド・エクスペリエンス》
その①

ザワ
ザワ
―南《みなみ》イタリア―
ネアポリス空港《くうこう》
ザワ
IN ARRIVO
ROMA
TOKYO
広瀬康一
ザワ
ザワ
ザワ
CAMBIO
CHANGE
あの…聞《き》きたいんですけど市内《しない》までタクシー代《だい》いくらぐらいかわかりますか？
4000円《えん》から50000円《えん》ぐらいかな
どうも

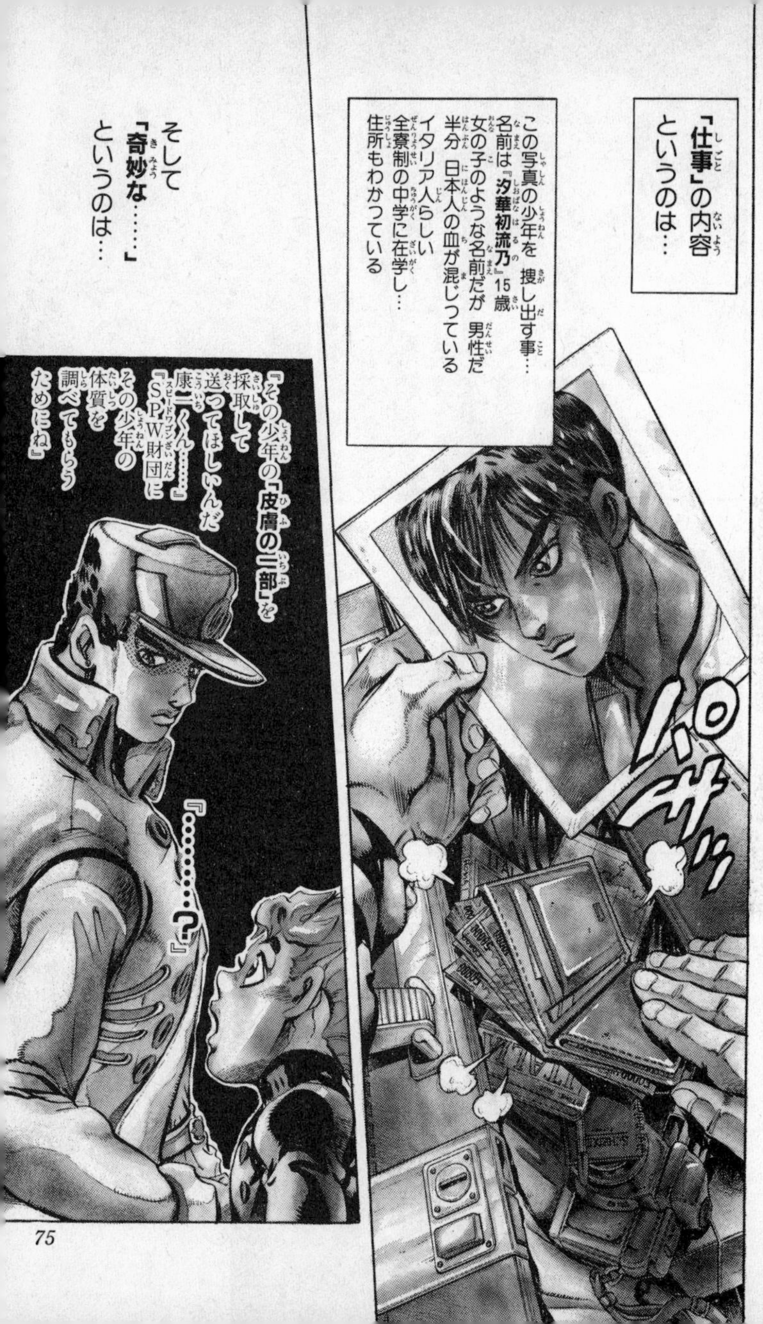
「仕事《しごと》」の内容《ないよう》というのは…
この写真《しゃしん》の少年《しょうねん》を 捜《さが》し出《だ》す事《こと》…
名前《なまえ》は『汐華初流乃《しおばなはるの》』15歳《さい》
女《おんな》の子《こ》のような名前《なまえ》だが 男性《だんせい》だ
半分《はんぶん》 日本人《にほんじん》の血《ち》が混《ま》じっている
イタリア人《じん》らしい
全寮制《ぜんりょうせい》の中学《ちゅうがく》に在学《ざいがく》し…
住所《じゅうしょ》もわかっている
パサッ
そして「奇妙《きみょう》な……」というのは…
『その少年《しょうねん》の「皮膚《ひふ》の一部《いちぶ》」を採取《さいしゅ》して送《おく》ってほしいんだ
康一《こういち》くん……』
『SPW《スピードワゴン》財団《ざいだん》に その少年《しょうねん》の体質《たいしつ》を調《しら》べてもらうためにね』
『…………?』

『体質《たいしつ》?
何《なん》ですか?
それ?
「何者《なにもの》」なんです?
この少年《しょうねん》は…?』
『それを調《しら》べている……』
『いや危険《きけん》な人物《じんぶつ》ではない
しかし…念《ねん》のため 会《あ》ったり 話《はなし》をするのは さけて
彼《かれ》の皮膚《ひふ》を うす皮《かわ》でいいんだが
ちょっぴり取《と》ってきてほしいんだ
それだけの事《こと》だ』
『本来《ほんらい》なら 自分《じぶん》で
行《い》くところなんだが
君《きみ》が適任《てきにん》なのだよ…』
『君《きみ》の「エコーズ」なら
わたしや仗助《じょうすけ》よりも
彼《かれ》に気《き》づかれずに できると思《おも》うし
旅費《りょひ》は全額負担《ぜんがくふたん》するよ
アルバイト付《つ》き
春休《はるやす》みの旅行《りょこう》と思《おも》えば
どうだろう?』
『ぜ
全額《ぜんがく》ですか?』
『でも この「少年《しょうねん》」
………
失礼《しつれい》ですけど
どこか承太郎《じょうたろう》さんに
似《に》てますね』
『……』

『承太郎《じょうたろう》さんは なぜこの少年《しょうねん》を 調《しら》べているのか？』 詳《くわ》しくは 言《い》いたがら なかった……

でも ま！ 旅費《りょひ》を 出《だ》してくれるってのに そそられて 引《ひ》き受《う》けて イタリアに来《き》たのだ…

ぼく あんまし 古《ふる》い国《くに》って 興味《きょうみ》 ないんだよね… さっさとバイト 済《す》ませて パリの ディズニーランド でも行《い》こっと

うおお！ こりゃ スゲーや
アハハ
おまえ 何度《なんど》見《み》ても スゲー キモチ 悪《わる》いな その一発芸《いっぱつげい》！
……

うわー キモチわるう〜〜〜
何《なん》で穴《あな》の中《なか》全部《ぜんぶ》耳《みみ》入《はい》っちゃうかね〜〜〜
うわあ〜〜〜 あの人《ひと》面白《おもしろ》い事《こと》できるなあ〜
どーも
プン
ポン
いやあ〜〜〜 楽《たの》しませてもらったよ
TABACCO
10000
TABACCO

ま
ここでのバイトはあんまりハデにするなよ
スッ
………
?。
?
タクシーかい?
ねぇ? タクシーさがしてる?
ゴロゴロ
ゴロゴロ
タクシー?
アルバイトでこれから帰《かえ》るだけだから安《やす》くしときますよ
市内《しない》まで8000円《えん》でどう?
ゴロゴロ
プ!
高《たか》いよ
いえけっこうですタクシー乗《の》り場《ば》でちゃんと乗《の》りたいですから

日本人《にほんじん》？
言葉《ことば》 すごく ペラペラ ですね
いや すごいなあ… イタリア住《す》んでた事《こと》あるとか？
え？ それはですねーっ 露伴先生《ろはんせんせい》に しゃべれるように してもらっ……
いや…
その！
違《ちが》うんで… ……あの…… 習《なら》ったと いうか
それよりね 君《きみ》が運転《うんてん》するの？ 中学《ちゅうがく》か 高校生《こうこうせい》っぽく 見《み》えるんですけど
この国《くに》って 何歳《なんさい》から 運転《うんてん》できるの？
あと 空港《くうこう》の警備員《けいびいん》に 何《なに》か渡《わた》してたの？ チラッと お金《かね》が 見《み》えてたけど あれ 何《なに》？
あれは ただの 駐車場《ちゅうしゃじょう》の 料金《りょうきん》さ
まあまあ どちらも そう 気《き》に しないで ……
じゃあ 1000円《えん》でいいよ チップもいらない ピッタシ1000円《えん》で 市内《しない》まで どう？
え？ 1000円《えん》？
い…いや… いらない です！
もう 話《はな》しかけ ないで！
どうして いきなり 1000円《えん》に なるのかなあ〜〜〜
ゴロ
ゴロ
ゴロ

TAXI
ずいぶんたくさん並《なら》んでるなあ
ねえねえ？
どうしてあの行列《ぎょうれつ》の客《きゃく》にはタクシー乗《の》らないって声《こえ》かけないの？
君《きみ》が断《ことわ》るなら……
これから かける つもりだけど……
………………
本当《ほんとう》に1000円《えん》？
1000円《えん》！
そのかわり荷物《にもつ》は自分《じぶん》で車《くるま》の助手席《じょしゅせき》につんでよね……チップなしなんだから……

よし決《き》まった！
荷物《にもつ》は前《まえ》の座席《ざせき》！お客様《きゃくさま》は後《うし》ろの座席《ざせき》に……
ドサッ
あのね！ひとつ言《い》っておくけど
ぼくを旅《たび》なれしてない日本人《にほんじん》のお人良《ひとよ》しと甘《あま》く見《み》ないでほしいんだ
ちゃんとホテルまで正直《しょうじき》に送《おく》りとどけてよ
はい 正直《しょうじき》に送《おく》りとどけます
ただし 空《から》っぽのバッグだけですけどね

とっ
あれっ
ちょっと？
ぼく…まだ
乗《の》ってないけど
あっ
まっ　まさかッ
！
ま…
待《ま》てッ！
プッ
見るな
しらんぷり
しろ！

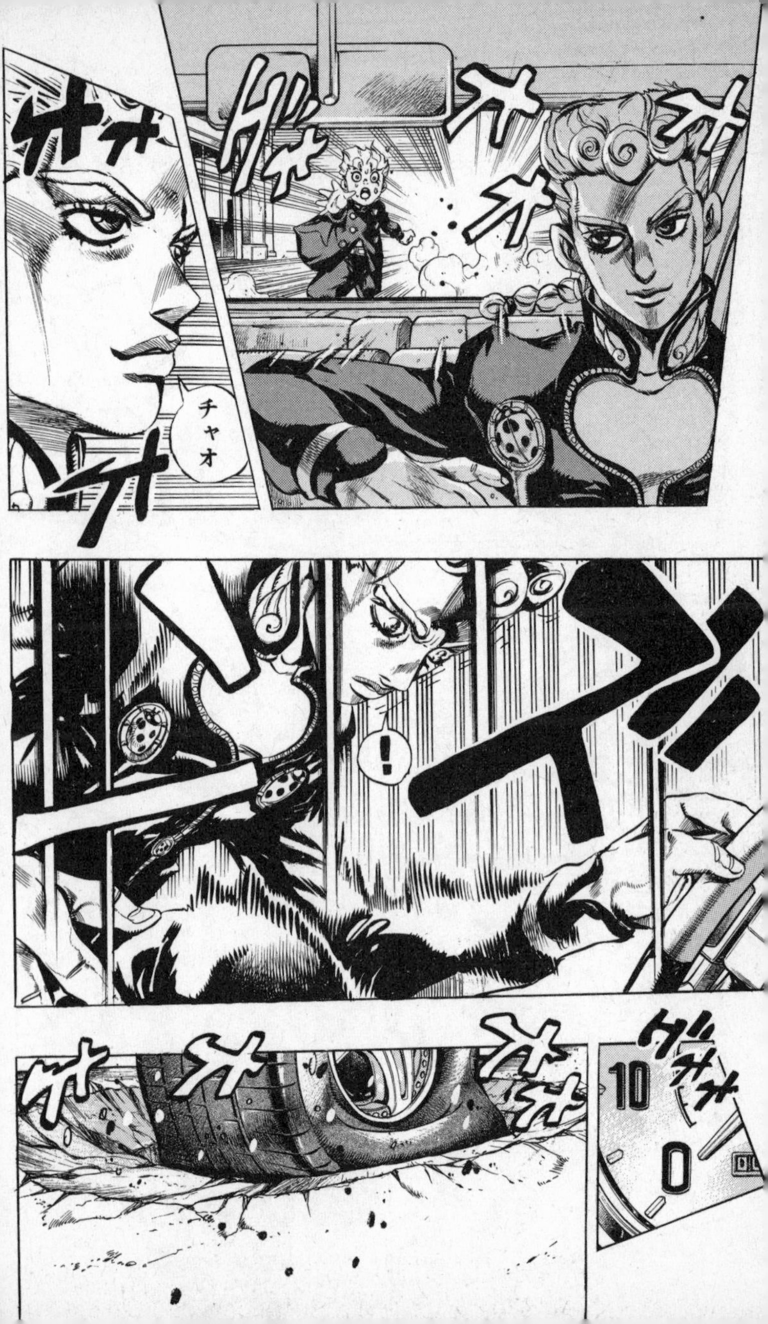
チャオ
!
10
0

ガン!
?
?
ガォォ
ガォオ
オォォ
ォォ
ドォ
オォ
ーォ
!?……
!?……

言《い》っただろ？
ぼくを甘《あま》く見《み》るなって
ガチャリー！！

ゴゴゴゴ
ゴゴ
ゴゴ
ゴゴ
別《べつ》に 逃《に》げても いいよ…
荷物《にもつ》さえ 無事《ぶじ》なら それでいいんだ もん……
ゴゴゴ
当然《とうぜん》ぼくは この少年《しょうねん》が 計画《けいかく》が失敗《しっぱい》した事《こと》で パニックと敗北《はいぼく》と 罪悪《ざいあく》の表情《ひょうじょう》を するだろうと 思《おも》った
しかし… 彼《かれ》は その どの表情《ひょうじょう》も しなかった… 少年《しょうねん》は微笑《ほほえ》んでいるのだ……
ただ 平然《へいぜん》と もの静《しず》かに微笑《ほほえ》んで ぼくを見《み》ていた……
その表情《ひょうじょう》には 『光《ひか》り輝《かがや》く さわやかさ』さえ あるように ぼくには 感《かん》じられた……

ザッ
見《み》ろよ…ジョルノのやつエンストして失敗《しっぱい》したみたいだぞ
あいつ 半分《はんぶん》日本人《にほんじん》のくせして日本《にほん》の旅行者《りょこうしゃ》をだまそうとするからバチが当《あ》たったんだ
しっ聞《き》こえるぜそでの下《した》もらったのがバレちまう…
言葉《ことば》 わかるはずねーだろ…
もっともあの髪《かみ》の色《いろ》じゃあジョルノ・ジョバァーナを日本人《にほんじん》とわかるヤツはいないがな…
いや…染《そ》めたんじゃあないらしいぜ黒《くろ》い髪《かみ》だったのがここ最近《さいきん》 急《きゅう》に金色《きんいろ》になったらしいんだ妙《みょう》な体質《たいしつ》だな…
本人《ほんにん》はエジプトで死《し》んだ父親《ちちおや》の遺伝《いでん》だと言《い》っている
ジョ…バァーナ？

ジョルノ・ジョバァーナ…?
「汐華《しおばな》 初流乃《はるの》」…しお…ばな…「初《しょ》」…「るの」……ジョルノ
ハハ…似《に》てるような気《き》もするけど…空港《くうこう》に着《つ》いていきなりなんて…
まさかな
どうして!?
あっ…あれ!?!?!?
ぼ…ぼくの荷物《にもつ》…な……ないッ!?!?

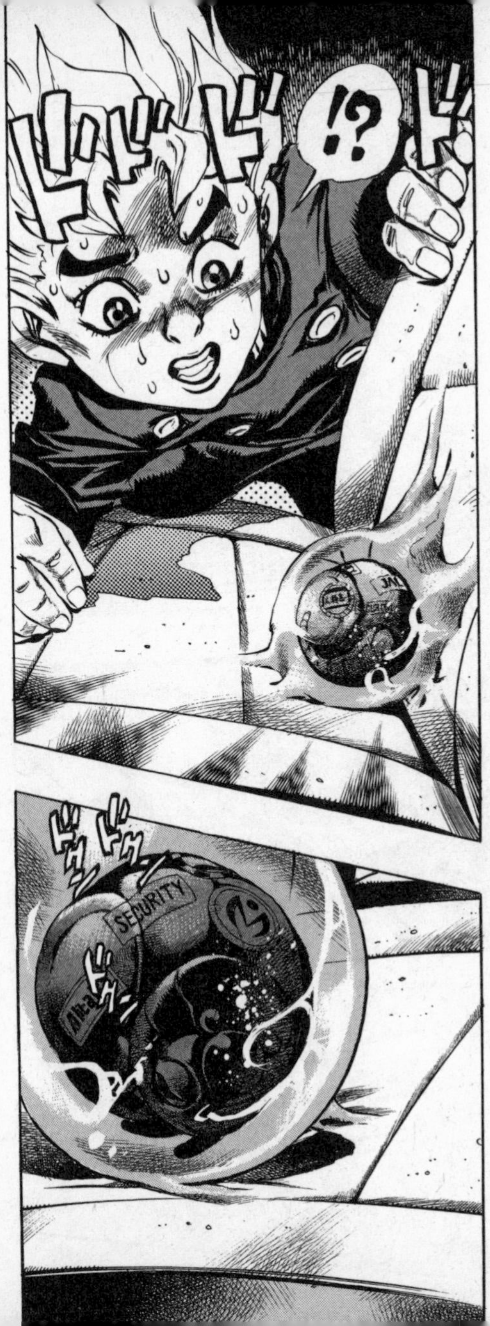

第《だい》5部《ぶ》ジョルノ・ジョバァーナ

【黄金《おうごん》なる遺産《いさん》】

こう……
SECURITY
JAL
これはいったい…!?
うあっ!!
このあと ぼくは「スタンド使《つか》い」は「スタンド使《つか》い」とひかれ合《あ》う…この運命的《うんめいてき》ルールを…
実《じつ》に 2年《ねん》ぶりに思《おも》い出《だ》す事《こと》になる着《つ》いたばかりの このイタリアの空港《くうこう》で…

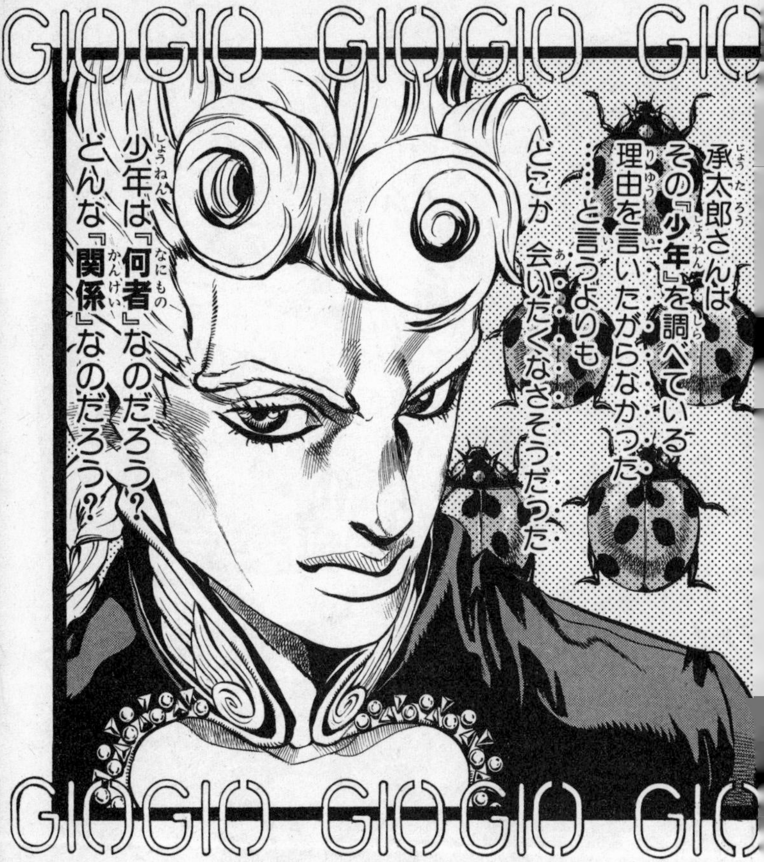
GIOGIO GIOGIO GIO
承太郎《じょうたろう》さんは
その『少年《しょうねん》』を調《しら》べている
理由《りゆう》を言《い》いたがらなかった……
……と言《い》うよりも
どこか 会《あ》いたくなさそうだった……
少年《しょうねん》は『何者《なにもの》』なのだろう？
どんな『関係《かんけい》』なのだろう？
GIOGIO GIOGIO GIO

黄金体験《ゴールド・エクスペリエンス》

その②

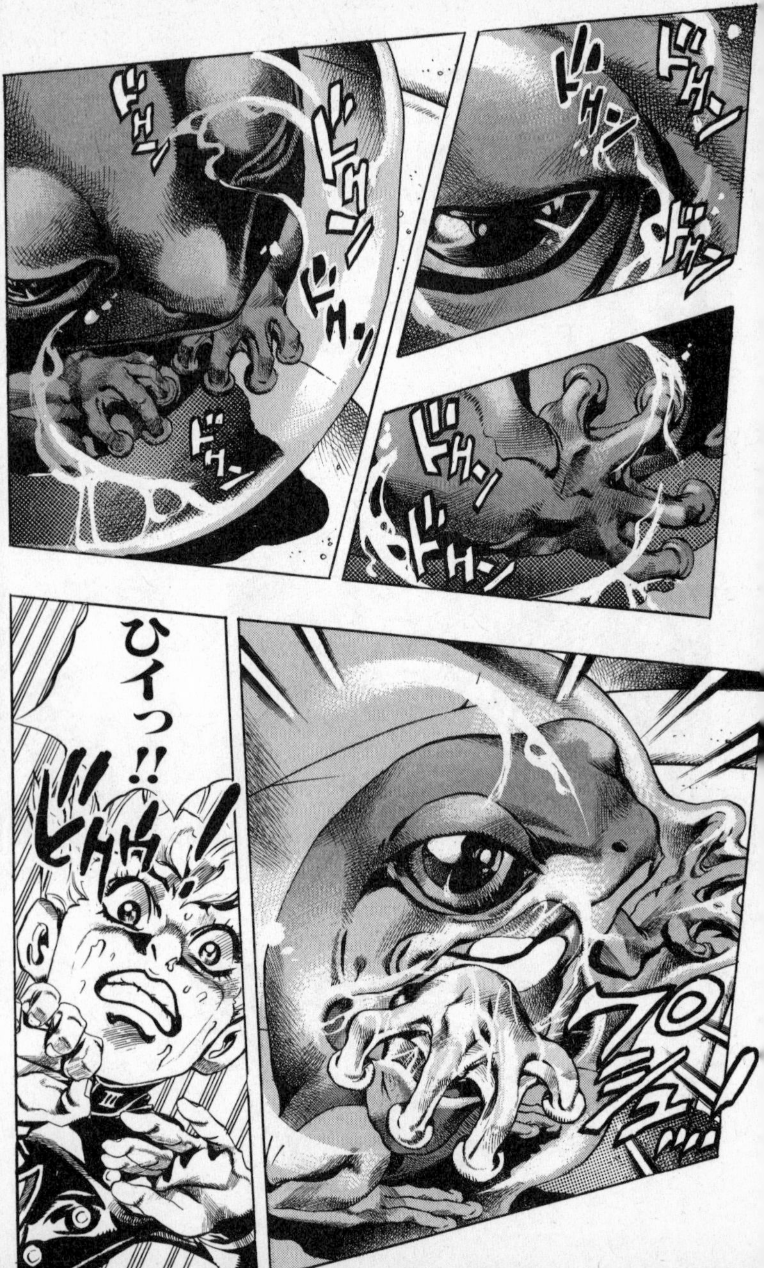
ドムーン
ドムン
ドムン
ドムーン
ドムン
ドムッ
ドムン
ドムーン
ドムーン
ひイっ!!
ビクゥ!

なっ！何《なん》だこりゃああああっ
まさか…『スタンド』じゃあないだろうな…？
でもそんなバカな…だよね…イタリアに『スタンド使《つか》い』がいて しかも着《つ》いたばかりで捜《さが》してる「少年《しょうねん》」にいきなり出会《であ》うなんて…だよね…
うわああああああっ!!
スッ…
『スタンド』じゃあ ないッ！
い…今《いま》の触《さわ》った感触《かんしょく》はぁ〜〜〜……

「生《い》き物《もの》」だ…!!
ピョン
ピョン
ピョン
ピョン
「本物《ほんもの》のカエル」だよぉぉおお〜〜〜
ドドドド
く…くそおーあいつッ!
ぼくのスーツケースをどうしちまったんだ!?
やばいよ…お金《かね》もカードも帰《かえ》りの航空券《こうくうけん》もあの中《なか》に入《い》れてるんだ!パ…パスポートもッ!

『ACT 1《アクトワン》』!
逃《に》げてった あいつを
上空《じょうくう》から探《さが》せるかぁ
——ッ!?
ドギュウゥ
…
ズル…
ズル…

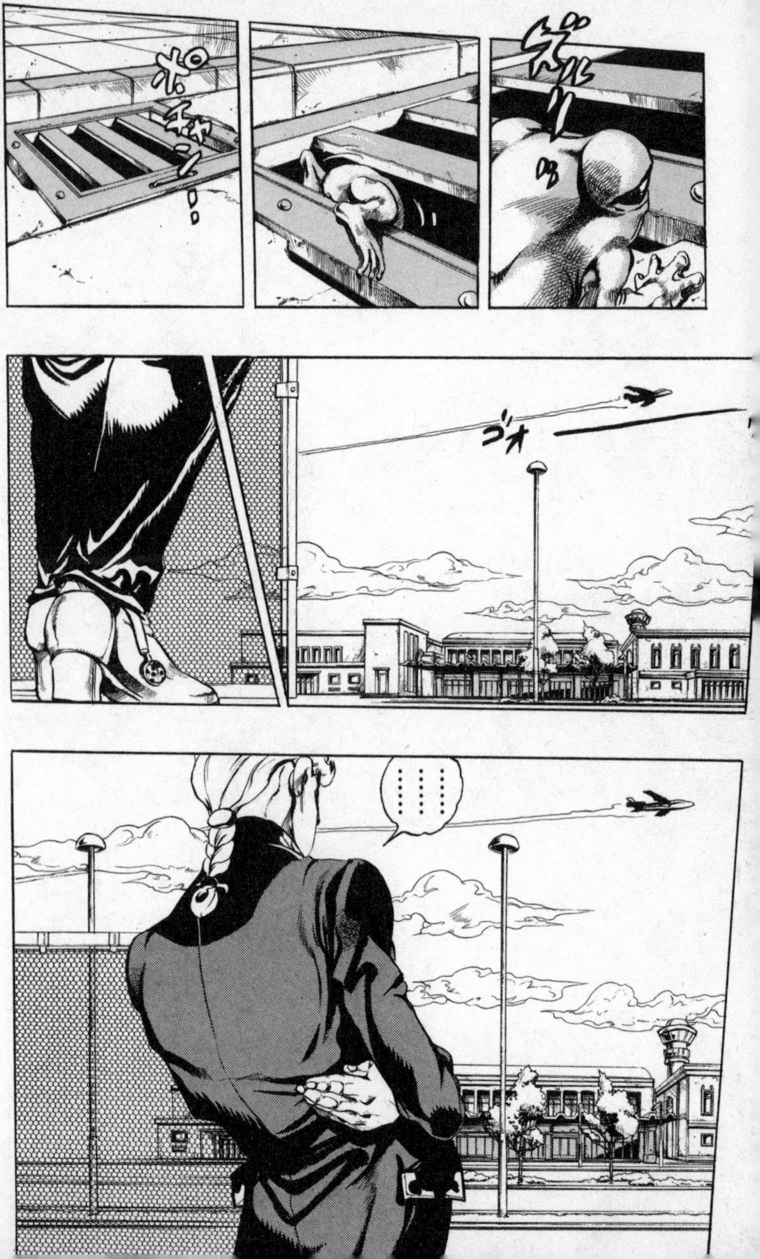
ズルーリッ
ポチャーン‥
ゴオ
……

!!
……
グス
S.P.Q.R
S.P.Q.R

『ジョルノ・ジョバァーナ』……
……かい？
お前《まえ》とは……初《はじ》めてだよなジョルノ？
おれの事《こと》……知《し》ってるか？
………
ペコリ
………
……「涙目《なみだめ》のルカ」さん……
何《なん》でもケンカの時《とき》ナイフを顔面《がんめん》に深々《ふかぶか》とつき立《た》てられても闘《たたか》うのをやめなかったとか……
その後遺症《こういしょう》のせいで傷《きず》がなおった今《いま》でも常《つね》に涙目《なみだめ》だとか……
グスッ

な……
ここ
ちょっと
座《すわ》んなよ
ここ
……
いいから
座《すわ》れったらァ
……!
見上《みあ》げて
しゃべんの
首《くび》疲《つか》れっ
からよ
ポン
ポン!
……
おまえ
年齢《とし》いくつ
?
グス
……
……
15です
15ッ!!
へえーっ
若《わか》いねえェ
なあ
ジョルノ
いい
友情関係《ゆうじょうかんけい》って
のには
3つの『U《ユー》』が
必要《ひつよう》なんだ
なあ……!
3つの『U《ユー》』
ああ…
1つ目《め》はな
……
「うそをつかない」だ
2つ目《め》は
「うらまない」…
そして
3つ目《め》は
相手《あいて》を「敬《うやま》う」…
いいだろ?
友情《ゆうじょう》の 3つの
『U《ユー》』だ
グス

何《なに》か用《よう》でしょうか？
話《はなし》を今《いま》してんのは このオレだッ！ 誰《だれ》が質問《しつもん》していいと言《い》ったッ!? このボゲがッ！

最近《さいきん》 おまえ 空港《くうこう》でアルバイトしてるそうだな？
ン？
まだ この「涙目《なみだめ》のルカ」は おまえから「敬《うやま》い」の献上品《けんじょうひん》を贈《おく》ってもらってないぜ…… それじゃあよォ〜〜〜 友情《ゆうじょう》は続《つづ》かないよなあ〜〜〜
ちょっと財布《さいふ》みせろよ！ おい！
どこに持《も》ってる？ このポケットか？
ルカさん
ショバ代《だい》なら すでに払《はら》いました
カネはないです
警備員《けいびいん》にかああ〜〜〜ッ
ンなこたぁオレにゃあ関係《かんけい》ねえんだよオオオオオオ——ッ!!
DIO BRANDO

ゴゴ
DIO
ドドド
ゴゴ
何《なん》だこりゃあ〜〜〜?
家族《かぞく》の写真《しゃしん》入《い》れか? 写真《しゃしん》しか入《はい》ってねえ
財布《さいふ》はどこに隠《かく》してる? ホラ! カネだよッ! 財布《さいふ》だせよ!
ルカさん……2度《ど》 同《おな》じ事《こと》を言《い》わせないでくださいよ……
1度《ど》でいい事《こと》を2度《ど》 言《い》わなけりゃあいけないってのは……
そいつが頭《あたま》が悪《わる》いって事《こと》だからです
払《はら》ってしまってないと言《い》ってるんですよ……
3度目《どめ》は言《い》わせないでくださいよ

………
このガキャアアアアア——ッ!!
ピョーン

ン!!
何《なん》だ…!? その「生《い》き物《もの》」は……?
たたき落《お》とせッ!
!
ピョン
ピョン!!
こいつ いつの間《ま》にか 戻《もど》って 来《き》てる……
この「カエル」は 関係《かんけい》ないんだ ……
ただ ぼくのところに 戻《もど》って来《き》ただけで ……
たたき落《お》とせ だなんて…… やめてください ……
おれは おめーに 命令《めいれい》したんだ! ショバ代《だい》を払《はら》え とも言《い》った! 両方《りょうほう》とも 逆《さか》らうっつーん だな!?
この「涙目《なみだめ》のルカ」に 「両方《りょうほう》」とも 「NO《ノー》」っつーん だなッ!

こいつは自分《じぶん》の意志《いし》を持《も》っている「生《い》き物《もの》」で……自分《じぶん》で考《かんが》えている……
やめた方《ほう》がいいです……たたき落《お》とすなんてぼくにはとてもそんな事《こと》はできない……
ピクピク
ピクピク
てめーはもう…〜〜〜
ジワ
てめーはもう〜〜〜
やめろッ！何《なに》もしなければ無害《むがい》なヤツなんだッ！
S・P・Q・R
てめえはもうおしまいだぁあ――っ!!

ド
ボオォ
S.P.Q.R

やめろって言《い》ったんだ……こいつは まだ それほど ぼくに 忠実《ちゅうじつ》なわけではないんだ
こいつは ただ 自分《じぶん》の身《み》を守《まも》ってるだけで こいつには こいつの「命《いのち》」がある……
ゴゴゴゴ
ゴゴゴゴ

ドド
S.P.Q.R.
ドド
ドドド

こいつへの攻撃《こうげき》は……
そのまま自分自身《じぶんじしん》への攻撃《こうげき》となり命《いのち》とりになる
3度目《どめ》は言《い》わせないでくださいよと頼《たの》んだはずだ
そして何度《なんど》も言《い》わせるって事《こと》は
……無駄《むだ》なんだ
……無駄《むだ》だから嫌《きら》いなんだ
……無駄無駄《むだむだ》
ぼ…ぼくの荷物《にもつ》…
やばいよ見失《みうしな》ったよォ
JAL
SEQURITY

BUON GIORNO
『GIORNO《ジョルノ》』
伊 日《ひ》、明《あ》けた白日《はくじつ》という意《い》。
BUON GIORNO
ブォン ジョルノで「おはよう」。

黄金体験《ゴールド・エクスペリエンス》 その③

この写真《しゃしん》の少年《しょうねん》「汐華初流乃《シオバナハルノ》」……
そう言《い》えば 彼《かれ》の経歴《けいれき》をチラッと 聞《き》いていた……
本当《ほんとう》の父親《ちちおや》は 彼《かれ》が生《う》まれて まもなく亡《な》くなり…… 6歳《さい》の時《とき》に 母親《ははおや》がイタリア人《じん》と 再婚《さいこん》してから それから この町《まち》に ずつと 住《す》んでいるらしい
「ジョルノ・ジョバァーナ」「初流乃《ジョルノ》・汐華《シオバナ》」名前《なまえ》の発音《はつおん》が 似《に》すぎているん だよなあ〜〜〜
そして あの 警備員《けいびいん》たちの セリフ……
ジョルノの やつ 日本人《にほんじん》の くせに……
なんでも あの髪《かみ》の色《いろ》は エジプトで死《し》んだ 父親《ちちおや》の遺伝《いでん》らしいぜ
2人《ふたり》は同一人物《どういつじんぶつ》なのか? それは すぐにわかる…… 「住所《じゅうしょ》」は わかっているんだ 今《いま》のぼくは とにかく 写真《しゃしん》の少年《しょうねん》の住所《じゅうしょ》に 行《い》くしかない……
「お金《かね》」も「パスポート」も 盗《と》られたのだ…… このままだと 今夜《こんや》 ホテルにも 泊《と》まれやしない!

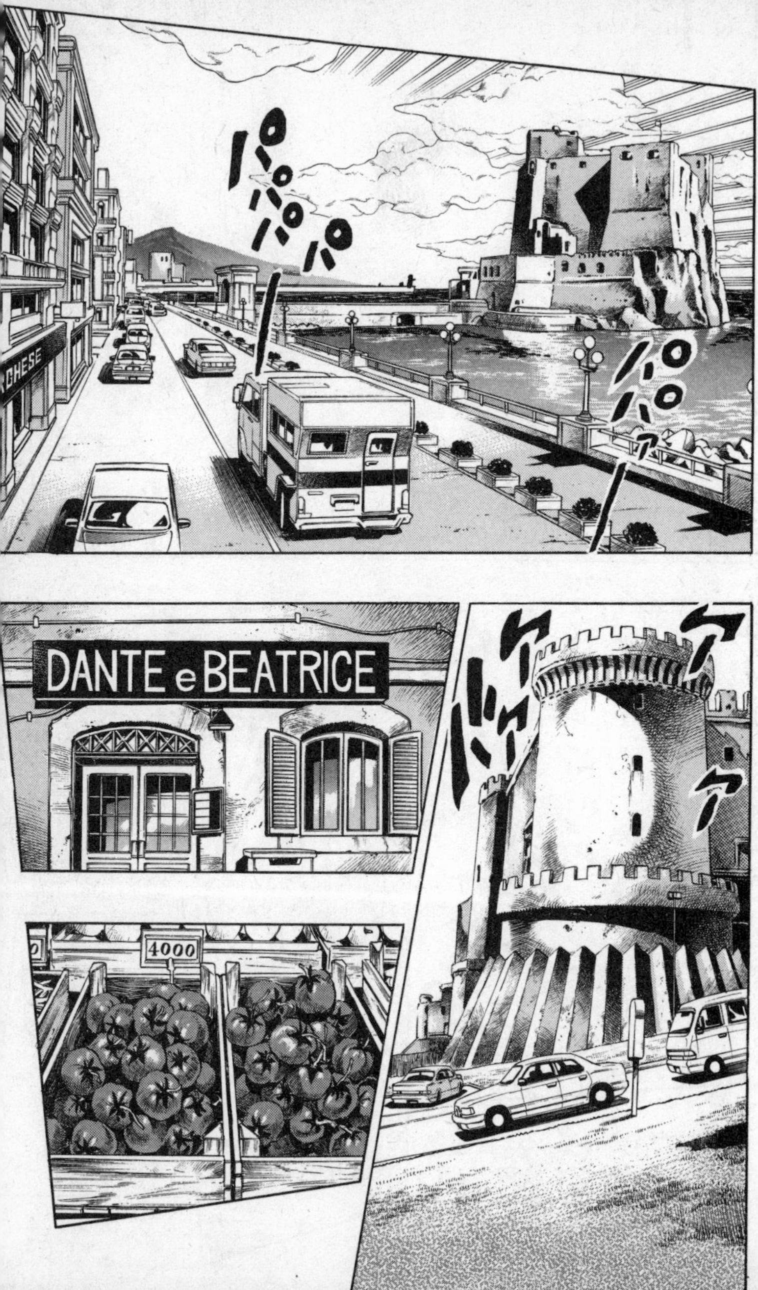
パパパパー
RCHESE
パパァー
DANTE e BEATRICE
4000
アァ
ドゥゥ

この辺《へん》なんだよなあ「住所《じゅうしょ》」は……
！
あの人《ひと》たち不用心《ぶようじん》だなあ
あんな離《はな》れたところにカバンおいちゃってぼくみたいに盗《と》られちゃったらどうすんだろ？
クス

何《なに》か?
それはいらぬ心配《しんぱい》ですよ
あの人《ひと》たちのカバンを盗《ぬす》もうなんてマヌケはいやしないんですよこの界隈《かいわい》では……
?
………
へえ……このあたり治安《ちあん》いいんですねえ……
あれじゃ日本だって盗まれるよ
フフ
お客《きゃく》さん何《なに》か? ケーキかサンドイッチでも?
い…いえその……
そ…そういえばお腹《なか》が……空《す》いたな……でもお金《かね》がない…
ねえ隣《となり》の席《せき》に座《すわ》っていい?
だめよあたしがいっしょに座《すわ》るのよ
ねえジョルノ! あたしといっしょにお茶《ちゃ》してよ
あたしが払《はら》うからあたしあたし
うるさいなひとりが好《す》きなんだあっち行《い》けよ

はーーい
じゃあ あしたね ジョルノ
さよなら ジョルノ
バイバイ ジョルノ! チャオ♡
またね ジョルノ♡
……………

おっ…！
おまえはッ！
あ
君《きみ》は…
何《なん》だよ!? それ 誰《だれ》のおカネだよっ？
使《つか》っちゃってるのか！ もう 残《のこ》り少《すく》ないみたいじゃあないか！
なぜ ここがわかったんだ
同一人物《どういつじんぶつ》だ… 承太郎《じょうたろう》さんは この「ジョルノ・ジョバァーナ」の正体《しょうたい》を知《し》りたがっているんだ
だが 怒《いか》りがわいて来《き》たぞ… ぼくがお腹《なか》 空《す》かしてるっていうのに… 倍乗《ばいじょう》して ムカッ腹《ばら》立《た》って来《き》たぞ！
ぼくのパスポートを返《かえ》せ！ ぼくの荷物《にもつ》はどこだッ！

本当《ほんとう》 心《こころ》が痛《いた》むけど…… もう ないんだ…… ……
もう売《う》っぱらっちゃってさあ…… 気《き》の毒《どく》だけど ……
だから もう追《お》って来《こ》ないで
今度《こんど》は逃《に》がすもんかッ!

こ……これは……!!
何《なん》だ…これは…この「重《おも》さ」は…!?
これは ひょっとして…空港《くうこう》での車《くるま》も エンストではなかったのか?……おまえ もしかして……
……? 同《おな》じ能《のう》……
何《なん》だって?
今《いま》 同《おな》じ 何《なん》て言《い》った?
重《おも》い!

ゴールド・（黄金《おうごん》）
エクスペリエンス！（体験《たいけん》）

!!
何《なん》だ……
今《いま》……
倒《たお》れていく時《とき》チラッと何《なに》か見《み》えたぞ
まさか！
こいつまさかッ！
ゴゴゴ
承太郎《じょうたろう》さんは 会《あ》わない方《ほう》がいいと言《い》ったけど
『スタンド使《つか》いは スタンド使《つか》いと引《ひ》かれあう』
……だから 空港《くうこう》でこいつと
出会《であ》っちまったのか？
そして承太郎《じょうたろう》さんは
こいつの何《なに》を調《しら》べたいと言《い》うのだ…
「敵《てき》」なのか「味方《みかた》」なのか？
と言《い》う事《こと》か？
でも
ぼくが今《いま》 言《い》えるのは
ぼくは こいつに荷物《にもつ》を盗《ぬす》まれ
ムカッ腹《ばら》が立《た》っている事《こと》なのだ
ゴゴゴゴゴゴ

産《う》まれろ……
生命《せいめい》よ…
産《う》まれろ 新《あたら》しい命《いのち》よ…

『ACT《アクト》 3《スリー》』!
!?
い…いません……S《エス》・H《エイチ》・I《アイ》・T《ティー》 消《き》えやがりました
BIIITCH《ビ——ッチ》!

バカな……
あいつの「手《て》」はひきずったらケガするほど重《おも》くなっているんだぞ!
簡単《かんたん》に動《うご》いて「3FREEZE《スリーフリーズ》」の射程外《しゃていがい》に出《で》れるわけがないんだ!
ドクン
しかもお札《さつ》まで持《も》ってってるじゃあないか!
ドクン
ドクン
ドクン
ドクン
?

もう一ペン言《い》うけど追《お》ってくるなんて考《かんが》えないでよ
「木《き》」…木《き》の上《うえ》にどうやって登《のぼ》ったんだ？

本当《ほんとう》は一ペンでいい事《こと》を2度《ど》言《い》うのは嫌《きら》いなんだ
なぜなら……2度《ど》言《い》うってのは無駄《むだ》だからだ…君《きみ》の人生《じんせい》のために言《い》うけど……無駄《むだ》はやめた方《ほう》がいい
たたき落《お》とせ『ACT《アクト》3《スリー》』!

ゴオ
ボ
イ

こ…
これは…? いったい… この「木《き》」は……
『ACT《アクト》 3《スリー》』の攻撃《こうげき》がぼくに…
『ジョルノ・ジョバァーナ』…
もし… こいつがもし「敵《てき》」なら……
同《おな》じ様《よう》な「能力《のうりょく》」…
しかしぼくに対《たい》するその攻撃《こうげき》…
ぼくは…君《きみ》の…物《もの》を盗《と》った…—なのに— 手《て》かげんしていた事《こと》が君《きみ》のダメージを見《み》ると逆《ぎゃく》に よくわかる
君《きみ》は「いい人《ひと》」だ

ブチャラティが来《く》る

その①

ゴゴゴゴゴ
……
もしもし？康一《こういち》くんか
じょ承太郎《じょうたろう》さんッ！
ぼ…ぼくッ！………
……
何《なに》かあったのか……？康一《こういち》くん
ど…どこから話《はな》したらいいのか…
そ…そう…ですね…『結果《けっか》』から話《はな》します

「彼《かれ》」は『スタンド使《つか》い』です
ゲオン!
「汐華《しおばな》 初流乃《はるの》」は イタリアでは 発音《はつおん》のせいで 「ジョルノ・ジョバァーナ」と 呼《よ》ばれています…
「シオバナ」＝「ジョバァーナ」ですよ
髪《かみ》の毛《け》も 写真《しゃしん》の黒《くろ》ではなく 金色《きんいろ》に変《か》わって います
学生《がくせい》のくせに チンピラのような事《こと》を していて ぼく お金《かね》も荷物《にもつ》も 盗《と》られて しまいました…
偶然《ぐうぜん》 出会《であ》って しまったんです

そして『スタンド能力《のうりょく》』はチラッと見《み》ただけで
かなり謎《なぞ》が多《おお》い能力《のうりょく》のようなんですが…
『相手《あいて》の攻撃《こうげき》をそのまま相手《あいて》に返《かえ》す』
イタリアにき…来《き》たばかりですけど
やばい事《こと》なら…ぼ…ぼく！
もう帰《かえ》りたいです……!!
……
……
すまなかったな……
もしやとは思《おも》ったが『スタンド使《つか》い』だとは知《し》らなかったんだ
すぐにホテルを手配《てはい》して送金《そうきん》するよ

聞《き》かせてもらえますか？
承太郎《じょうたろう》さんと「ジョルノ・ジョバァーナ」はどんな関係《かんけい》なんですか……？
………
……
彼《かれ》の『父親《ちちおや》』はわたしが殺《ころ》した……
名前《なまえ》は『ディオ・ブランドー』

…………
今年《ことし》になってわかったのだ…スピードワゴン財団《ざいだん》の調査《ちょうさ》で…
DIO《ディオ》に子供《こども》がいる可能性《かのうせい》がな……
そして確認《かくにん》したかったのだ…「汐華《しおばな》」…いや「ジョルノ・ジョバァーナ」が本当《ほんとう》にDIO《ディオ》の子供《こども》でDIO《ディオ》の肉体《にくたい》を少《すく》なからず受《う》け継《つ》いでいるのかどうかを…
彼《かれ》の皮膚《ひふ》からの遺伝子《いでんし》で調《しら》べたかったのだ
DIO ディオ
あの…『弓《ゆみ》と矢《や》』のDIO《ディオ》ですか？
でもたしかDIO《ディオ》の肉体《にくたい》はジョースターの血統《けっとう》…
康一《こういち》くん「スタンド能力《のうりょく》」を受《う》け継《つ》いでいるとわかった以上《いじょう》もう「ジョルノ・ジョバァーナ」には近《ちか》づかなくていい
しかも……！
髪《かみ》が金色《きんいろ》になっていると言《い》ったな…ひょっとするとそれは「ジョルノ」の眠《ねむ》っていた「スタンド能力《のうりょく》」が最近《さいきん》になって目醒《めざ》めた証拠《しょうこ》なのかもしれない…
何《なに》かのキッカケ——たとえば「強力《きょうりょく》なスタンド使《つか》い」がその町《まち》にいるといった影響《えいきょう》——のキッカケでな……
スタンド使《つか》い……!?

もう彼《かれ》には近《ちか》づくな
さ…最後《さいご》にひとつだけ……
彼《かれ》は「敵《てき》」なんですか？……それとも「味方《みかた》」なんですか？
…… …… ……
わたしもそれを知《し》りたい
康一《こういち》くん君《きみ》はどう思《おも》う？
会《あ》ったのは君《きみ》だ……どんな印象《いんしょう》を受《う》けた？
わかりません……
でも……
その…何《なん》か……
さわやかなヤツでした………
荷物《にもつ》を盗《ぬす》まれたのに奇妙《きみょう》なんですけれど…

ピピイー
ゴト
ゴトッ
ゴトン
ゴトッ
ゴトッ
ゴトッ
ゴトッ

ゴトン
ゴトン
ゴトン
ゴトン
お？
……
ゴトン
ゴトン
ゴトンゴトッ

君《きみ》の？
いえ……
そう　もうけたね……ハハハ
ゴトン
ゴトン
もしさあ……
ここにカバンが落《お》ちてて中《なか》に一〇〇〇万円《まんえん》入《はい》ってたとしたら……
君《きみ》…とどける？
………
フフフ
まさかあ〜〜〜もらっちゃいますね……！
ハハハ!!
正直《しょうじき》だね……
ゴトン
ガタン
でもさあ……もし　おれが私服警官《しふくけいかん》でそれを見《み》ちゃってたら？
ゴトン

おまわりのあんたに半分《はんぶん》握《にぎ》らせて…
目《め》をつぶってもらう……
かな
アーーハハハハハハーーッ!!
いや……いいねえ〜〜〜!
君《きみ》はマジにそうするだろうね!冗談《じょうだん》とかハッタリじゃあないね
いやわかるんだ!君《きみ》は本当《ほんとう》の事《こと》を言《い》っている!
おれね……
人《ひと》が本当《ほんとう》の事《こと》を言《い》ってるかどうかわかるんだ
いや　まあ……ほぼ間違《まちが》いないかな
顔《かお》の皮膚《ひふ》を見《み》るとわかるんだ
「汗《あせ》」とかでテカるだろ?
……その感《かん》じで見分《みわ》けるんだ
「汗《あせ》の味《あじ》」をなめればもっと確実《かくじつ》にわかるかな
………
あんた誰《だれ》です?

『涙目《なみだめ》のルカ』が自分《じぶん》の『スコップ』頭《あたま》にブッ込《こ》まれて空港《くうこう》のはずれにブッ倒《たお》れてた……
あれじゃあ意識《いしき》は戻《もど》らねえ……重体《じゅうたい》だ……
誰《だれ》が『やった』のか！調《しら》べてる……

ゴゴゴゴ
ゴゴゴゴ
……
ゴゴゴゴ
ジョルノ・ジョバァーナ
「涙目《なみだめ》のルカ」が なぜ空港《くうこう》にいたのかは誰《だれ》も知《し》らない
………
しかし…空港《くうこう》の警備員《けいびいん》がおまえが空港《くうこう》にいた事《こと》をおれに教《おし》えてくれたんだ
だから 会《あ》ってちょいと質問《しつもん》してみようと思《おも》ってね……
………
………
あんた警官《けいかん》ですか？
まさか…だろ！

「ルカ」はただのゴロツキじゃあ ねえ『ギャング』なんだぜ……
やられる理由《りゆう》はたくさんある……恨《うら》みを持《も》たれるタイプだったからな…
しかし『やつのボス』はそうじゃあない……
身内《みうち》がやられたって事《こと》でボスは顔《かお》にドロをぬられたと思《おも》っている
だからオレにやったやつを調《しら》べてケリをつけろと命令《めいれい》したんだ
ゴゴ
『おまえに質問《しつもん》する』……
『空港《くうこう》で』
『涙目《なみだめ》のルカ』に会《あ》わなかったかい？

ゴゴゴ
ゴゴゴゴ
ゴゴゴゴ
いいえ……
知《し》りません……『涙目《なみだめ》のルカ』……なんて人《ひと》は……

ペシューッ
……汗《あせ》をかかないね
………

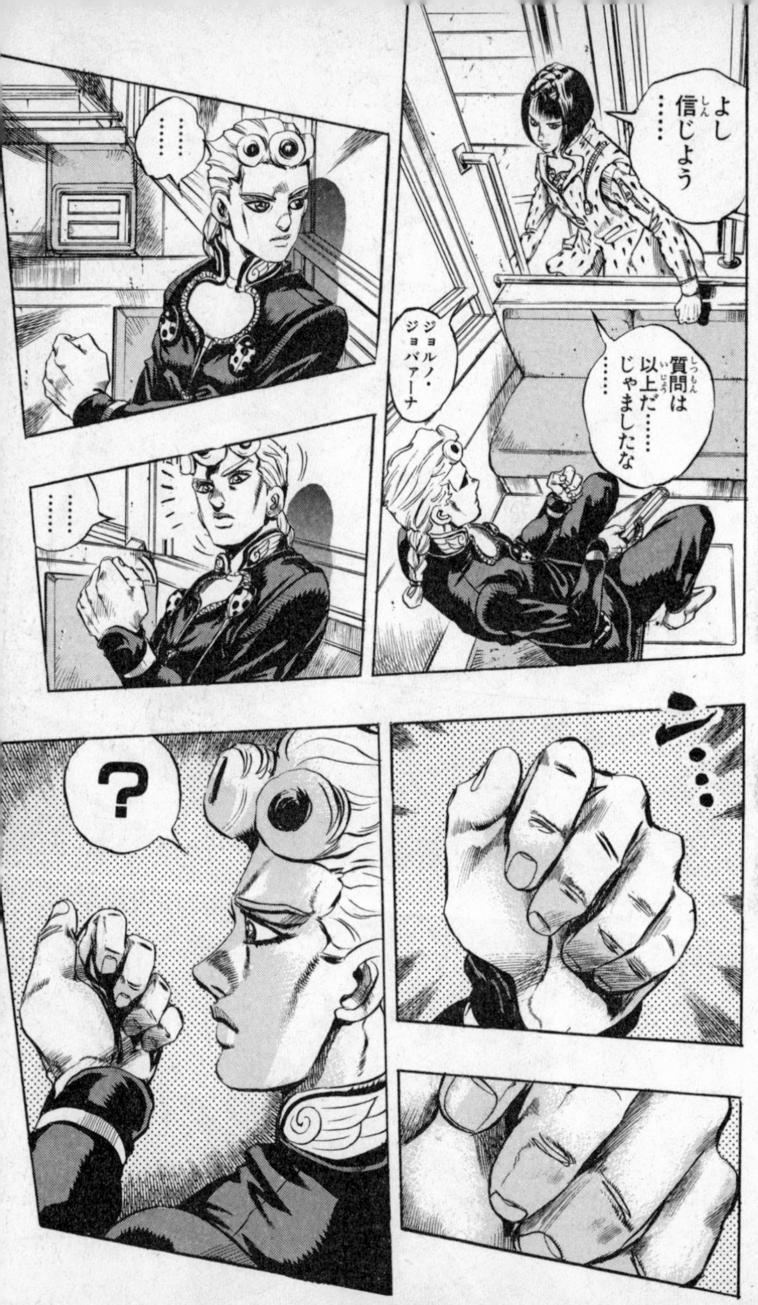
よし
信《しん》じよう
……
質問《しつもん》は
以上《いじょう》だ……
じゃましたな
……
ジョルノ・
ジョバァーナ
……
……
ン…
?

な!?
何《なん》だ……これは!?
て……「手《て》」は握《にぎ》っていたのに……!!

『ルカの右《みぎ》目《め》』だぜ……汗《あせ》をかいたな…
ドドドド
どうせ意《い》識《しき》がねえんだから持《も》って来《き》たんだ
ベロン
この味《あじ》は!……ウソをついてる『味《あじ》』だぜ……
ジョルノ・ジョバァーナ!

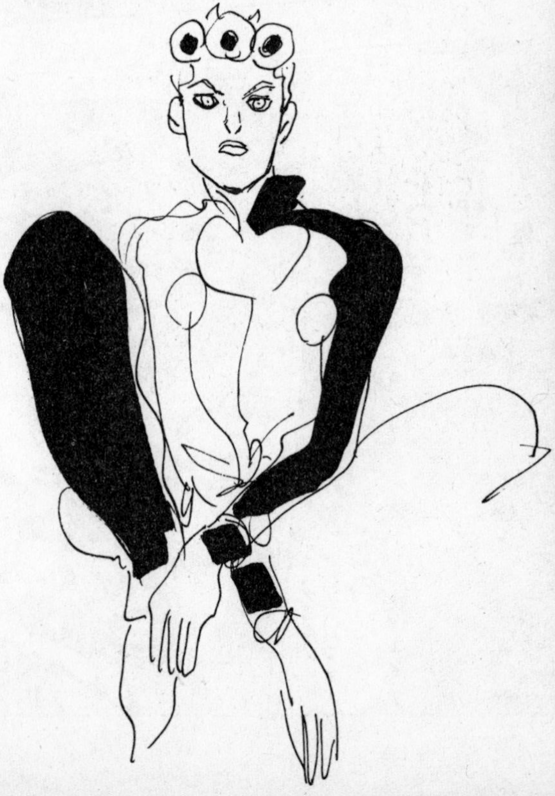

ブチャラティが来《く》る
その②

ディオ・ブランドーにとって女性《じょせい》とは単《たん》なる「道具《どうぐ》」であり「食料《しょくりょう》」であったので
なぜ 15年前《ねんまえ》『ジョルノの母親《ははおや》』がディオに始末《しまつ》されずに「ジョルノ」を出産《しゅっさん》できたのか？
そのいきさつは誰《だれ》も知《し》らない
『ジョルノの母親《ははおや》』はとても美《うつく》しい女性《じょせい》であったけれども
決《けっ》して良《よ》い母親《ははおや》ではなかった
その後《ご》日本《にほん》に住《す》んでいたが幼《おさな》いジョルノをおきざりにして彼女《かのじょ》はよく夜《よる》の街《まち》に遊《あそ》びに出《で》かけた
子供《こども》ができたからって自分《じぶん》の自由《じゆう》がなくなるなんてまっぴらだわ
英会話

寝《ね》ていて
夜《よる》目《め》を醒《さ》ますと
母親《ははおや》が家《いえ》にいない
1〜2歳《さい》の子供《こども》にとって
それは どんな恐怖《きょうふ》と絶望《ぜつぼう》
なのだろう……
…ジョルノは暗闇《くらやみ》の中《なか》で
泣《な》いても無駄《むだ》なので
ただひたすら ふるえていた
だけだった
ジョルノが
4歳《さい》の時《とき》
母親《ははおや》は結婚《けっこん》した
相手《あいて》はイタリア人《じん》で
以後《いご》 ジョルノは
イタリア人《じん》となった
しかし この男《おとこ》は
母親《ははおや》の見《み》ていない
ところで
よく ジョルノを
殴《なぐ》りつけた
バシッ
バシッ
バシッ

人《ひと》の顔色《かおいろ》ばかり チラチラ のぞき やがって イラつく ガキだぜ
これは逆《ぎゃく》だった…… 他人《たにん》の顔色《かおいろ》ばかり うかがう 性格《せいかく》にしたのは 明《あき》らかに この男《おとこ》が原因《げんいん》だった
そして ジョルノのこうした 態度《たいど》は 町《まち》のガキどもが うっぷんを はらすのに もっとも好《この》まれる性格《せいかく》だった
彼《かれ》は 自分《じぶん》がこの世《よ》の カスだと信《しん》じるようになり このままでは ジョルノが 心《こころ》のネジ曲《まが》った人間《にんげん》に 育《そだ》っていく事《こと》は 誰《だれ》が 見《み》ても 時間《じかん》の問題《もんだい》だった
しかし ある事件《じけん》が きっかけで ジョルノは 救《すく》われる 事《こと》になる
いつものように ジョルノが 学校《がっこう》の帰《かえ》り道《みち》を 歩《ある》いていると
男《おとこ》が 血《ち》だらけで 石壁《いしかべ》のかげに 倒《たお》れていた

生《い》きているのか？ 死《し》んでいるのか？ わからなかったけれども 胸《むね》を 銃《じゅう》で撃《う》たれて いるみたいだった
すると そこに 別《べつ》の男《おとこ》たちが わめきながら 走《はし》ってくる……
チクショー どこ行《い》きやがった
ドャ
逃《に》がすな 探《さが》せ！
ドャ
ドャ
ドャ
あきらかに この ケガをした男《おとこ》を 捜《さが》している風《ふう》だった ……… どんどん こっちへ 向《む》かってくる
ジョルノに 質問《しつもん》 して来《き》た ……
あっちへ 行《い》ったよ
ジョルノは ウソをついた…

恐怖《きょうふ》はなかった
ただ 倒《たお》れている男《おとこ》に対《たい》し「自分《じぶん》と同《おな》じようにひとりぼっちでさびしそうだな」と思《おも》っただけだった
そして 幸運《こううん》な事《こと》に男《おとこ》の体《からだ》は『草《くさ》』がのびて 隠《かく》れていた
これはジョルノの「ゴールド・エクスペリエンス」の能力《のうりょく》なのであるがまだ ジョルノ自身《じしん》はこの能力《のうりょく》に気《き》づいておらず無意識《むいしき》の行動《こうどう》だった
この事《こと》はだれにも言《い》わなかった
2か月《げつ》くらいしたころ……
「男《おとこ》」がジョルノの前《まえ》にあらわれた
「男《おとこ》」は生《い》きておりそして ジョルノが かばってくれた事《こと》を覚《おぼ》えていたのだ……
——そして こう言《い》った

君《きみ》が してくれた事《こと》は 決《けっ》して忘《わす》れない
なぜ撃《う》たれていたのか それは言《い》わなかったが
ほどなくして 義父《ぎふ》がジョルノを 殴《なぐ》らなくなった
町《まち》の悪《わる》ガキどもが 満員《まんいん》の映画館《えいがかん》で ジョルノに 席《せき》を ゆずってくれる
男《おとこ》は『ギャング』だった
『男《おとこ》』は遠《とお》くから ただ 静《しず》かにジョルノを 見守《みまも》ってくれている だけだったが
他人《たにん》の顔色《かおいろ》ばかり うかがっている子供《こども》に対《たい》し ひとりの人間《にんげん》として 敬意《けいい》を示《しめ》してくれる つき合《あ》いを してくれた

両親《りょうしん》から学《まな》ぶはずの「人《ひと》を信《しん》じる」というあたり前《まえ》の事《こと》をジョルノは無言《むごん》の他人《たにん》を通《つう》じて知《し》ったのだ
奇妙《きみょう》な事《こと》だが………
悪事《あくじ》を働《はたら》き法律《ほうりつ》をやぶる「ギャング」がジョルノの心《こころ》をまっすぐにしてくれたのだ
もう イジけた目《め》つきはしていない…彼《かれ》の心《こころ》には さわやかな風《かぜ》が吹《ふ》いた……
男《おとこ》は決《けっ》して ジョルノを『ギャングの世界《せかい》に巻《ま》き込《こ》まない』という厳《きび》しい態度《たいど》をとっていたが……
政治家《せいじか》が汚職《おしょく》をやり警官《けいかん》が弱者《じゃくしゃ》を守《まも》らないジョルノの住《す》むような環境《かんきょう》では
ジョルノの気持《きも》ちを止《と》める事《こと》はできない…彼《かれ》の中《なか》に 生《い》きるための目的《もくてき》が見《み》えたのだ…
こうして「ジョルノ・ジョバァーナ」はセリエA《アー》のスター選手《せんしゅ》にあこがれるよりも……

『ギャング・スター』にあこがれるようになったのだ！

ゴロ
ゴロゴロ
ゴロ
トン
ドドド
ドドド
手品《てじな》…か
いや… たしかに手《て》は握《にぎ》っていた どんなトリックだろうと握《にぎ》った手《て》の中《なか》に入《い》れられるのは 考《かん》えられない
こいつ何《なに》をやったんだ!?

おや
おやおや
おや…
ドド
ドド
ドド
ドド
ドド
ドド

とはいえ まずい事《こと》に なった…
「涙目《なみだめ》のルカ」の事《こと》は どうする事《こと》もできない 事《こと》だったが 言《い》いわけは きかない ……
どうする? もし バレたら ……
こいつを やるしか ないのかッ!
質問《しつもん》は 以上《いじょう》だと 言《い》ったが…
状況《じょうきょう》が 変《か》わって 来《き》たな…… 『ジョルノ・ジョバァーナ』
おまえは ウソを言《い》った!
『涙目《なみだめ》のルカ』に 会《あ》っていない とな
じゃあ なぜ ウソをつくのか……?
その理由《りゆう》を 聞《き》かせてもらわなくては ならなくなったって わけだな…
コトトン コトトン

ン？
メキッ
！
ゴトトン
ゴトトン
ゴトトン
何《なに》見《み》てんだい？
うらやましいかい？
君《きみ》たちも殴《なぐ》りたいのか？
ガサ ガサ
グーッ
ゴトトッ
ゴトトッ

ゴトン
おれの名《な》は『ブローノ・ブチャラティ』
答《こた》えろよ 質問《しつもん》は すでに…
ゴトン
『拷問《ごうもん》』に 変《か》わって いるんだぜ
!!
ゴトン
ゴトン
ゴトン ゴトン
ゴトン ゴトン
ゴトン

ゴトトン
ゴトトン
ズゥルリ
ゴトー
ゴトー

うッ！
うげっ
こ…これは!!
どうだい ブルっちまう 特技《とくぎ》だろう…
それは『ルカの指《ゆび》』だ
実《じつ》を言《い》うとな『涙目《なみだめ》のルカ』は始末《しまつ》された あれじゃあ 生《い》きてても しょうがないってんでな うちのボスが
おれに持ってていいって言《い》ったんだ 拷問《ごうもん》の時《とき》おどしに使《つか》えるからってな……
ドドド
ま…まただッ！何《なに》をやったんだ!!
まさか！こいつッ！
こいつも！あの日本《にほん》からの旅行者《りょこうしゃ》と同《おな》じ様《よう》な……
ドドド

おれは ウソを見抜《みぬ》く特技《とくぎ》のほかに……こういう事《こと》もできるんだ………
何《なん》だろうとおまえの口《くち》の中《なか》に入《い》れる事《こと》ができるんだぜ……
ドドド
もうおまえにはどうする事《こと》もできない
たとえばそこの消火器《しょうかき》だっておまえの口《くち》の中《なか》に入《い》れる事《こと》ができる
ドドド
もっともそんな事《こと》すればおまえは死《し》ぬがな……
!!
フフフフ
ドドド
フフフフ
ギギ
ギギ
!?
ドドド

……
!?
話《はな》せッ!
早《はや》く
話《はな》さねーと
拷問《ごうもん》は さらに
続《つづ》くんだぜッ!
おまえは
「犯人《はんにん》」を目撃《もくげき》している…
口止《くちど》めされてんのか?
『誰《だれ》が』ルカをやったのか!?
しゃべってもらおうじゃあ
ないか……

ガラン!
!!
!?
こっ…!?
こいつ!
やはり
同《おな》じ様《よう》な
能力《のうりょく》を!!

もう『ゴールド・エクスペリエンス』を使《つか》ってこいつの攻撃《こうげき》をかわすしかないッ！
ブチャラティが来る
その③

ブチャラティが来《く》る
その③

なぜ『同《おな》じ様《よう》な能力《のうりょく》』を持《も》つ者《もの》と この数日《すうじつ》で急《きゅう》に 出会《であ》うようになったのか?
今《いま》の ジョルノ・ジョバァーナには
そんな事《こと》を考《かんが》えている余裕《よゆう》は ない
ゴゴゴ
ゴゴゴゴ
ゴゴゴゴ

首《くび》がガクガクしてよォォ～～～
スっ取《と》れそうな気分《きぶん》か？
まあ もっとも おまえには おれが 何《なに》をやってるのか わからんだろうが…
ジョルノ・ジョバァーナ
これから おまえの頭《あたま》を ボールがわりにコロがしながら 「涙目《なみだめ》のルカ」をやった 犯人《はんにん》の名《な》を 聞《き》き出《だ》す事《こと》だって できるんだぜ～ッ
手《て》の中《なか》に 目玉《めだま》を入《い》れた 「手品《てじな》」も…
この『能力《のうりょく》』が答《こた》えだったのか……!!
こいつの攻撃《こうげき》を これ以上《いじょう》 くらうのはまずい！ バラバラになっちまう…
ゴゴゴゴ
ゴゴゴゴ
しかし!!

ぼくは今《いま》まで 一度《ど》として 『ゴールド・E《エクスペリエンス》』で 人間《にんげん》を攻撃《こうげき》した 事《こと》はない……！
この能力《のうりょく》に 気《き》づいたのは ここ数《すう》か月前《げつまえ》だが…… 『ゴールド・E《エクスペリエンス》』の能力《のうりょく》は 「カバン」や「レンガ」を殴《なぐ》れば それに『生命《せいめい》』を与《あた》える 事《こと》ができる
「物体《ぶったい》」を殴《なぐ》れば ………だ！
いったい どうなるのか!?
だが 『ゴールド・E《エクスペリエンス》』で 「生命《せいめい》ある人間《にんげん》」を 攻撃《こうげき》したなら ………!?
ぼく自身《じしん》にも 予想《よそう》はつかないッ！

答《こた》えろッ！ジョルノ・ジョバァーナッ！
無《む》駄《だ》アッ！

ドド
ド
ドドドド
ド
ドド
きっ!
きさま……は!!

もう やるしかない……
こいつに『ゴールド・E《エクスペリエンス》』の能力《のうりょく》をたたき込《こ》むしかない……
ドドドド
人間《にんげん》を攻撃《こうげき》するとどうなるのかわからないが……生《い》き抜《ぬ》くためだ……やるしかない……
ドドドド
おまえ『スタンド使《つか》い』ッ！
おれの能力《のうりょく》が見《み》えていたのかッ！
そして まさか……まさか！15歳《さい》のおまえが……
………………
何《なに》『使《つか》い』だって？
ルカを殺《や》ったのはきさまだったのかッ！

『ゴールド・エクスペリエンス』!
ギャッ

アァ
ゴトン
ゴトン
ゴトン
ゴトン
ゴトン
ゴトン
ゴトン
ゴトン
ゴトン
ゴトン
ゴトン
ゴトン
ゴトン
ゴトン
ゴトン
ゴトン

ゴ ゴ ゴ ゴ
ゴ ゴ ゴ ゴ
『ゴールド・E《エクスペリエンス》』！
まともに殴《なぐ》れば 少《すく》なくとも 腕《うで》の骨《ほね》ぐらいは へし折《お》れる破壊力《はかいりょく》は あるはず…
しかし 右腕《みぎうで》で「手《て》すり」を つかんで 立《た》ち上《あ》がろうとして いるぞ… どこも 何《なん》ともないのか？

スッッ
ド
ンッ

何《なん》だ？………このみなぎるような「力《パワー》」は……!!
ちょっと立《た》とうと思《おも》ったらこんなスピードで動《うご》けるなんて……!!
どんどん「力《パワー》」がわいてくるみたいだ
この体《からだ》に「生命《いのち》のガソリン」を入《い》れられたみたいに…
ギュン
ギャン
ギャン

おまえの動《うご》きがスローに見《み》えるぞ！
もしかしておまえの「能力《のうりょく》」に殴《なぐ》られたから・・・・・こうなったのかッ！
だとしたらマヌケだぜッ！
敵《てき》にパワーを与《あた》える『スタンド』なんてなッ！
くらえッ！ジョルノ・ジョバァーナ！

えっ!?

な……
何《なん》だ？
ジョルノへの攻撃《こうげき》がスリ抜《ぬ》けてスタンド能力《のうりょく》も出《で》ない！
おれがいるぞ！
うしろに
おれがいるぞ
「手《て》すり」が曲《まが》ってない
ま…まさか
「勘《かん》ちがい」を しているのか
おれは？
……おれは自分《じぶん》が
すごい「力《パワー》」で動《うご》いていると
思《おも》っているだけで……
……あれは おれの「体《からだ》」で……
『意識《いしき》』だけが 飛《と》び出《で》て
……ここに あるのか!?

しまった！身《み》をかわさなくてはッ！

47 さよなら杜王町
―黄金の心の巻(完)

■ジャンプ・コミックス

ジョジョの奇妙な冒険

47 さよなら杜王町
―黄金の心の巻

1996年5月15日　第1刷発行

著者　荒木飛呂彦
©LUCKY LAND COMMUNICATIONS
1996
編集　ホーム社
東京都千代田区一ツ橋2丁目5番10号
〒101-50　電話　東京　03(5211)2651

発行人　後藤広喜

発行所　株式会社　集英社
東京都千代田区一ツ橋2丁目5番10号
〒101-50
03(3230)6233(編集)
電話　東京　03(3230)6191(販売)
03(3230)6076(制作)
Printed in Japan

印刷所　株式会社　美松堂
中央精版印刷株式会社

乱丁、落丁本が万一ございましたら、小社制作部宛にお送り下さい。送料は小社負担でお取り替え致します。
本書の一部または全部を無断で複写、複製することは、法律で認められた場合を除き、著作権の侵害となります。

ISBN4-08-851897-7　C9979

operating the helm was dead—had, in fact, died of a stroke just before they'd entered the Cloud.

By the time they came to the correct conclusion, they'd been trapped in the system for nearly two months. Friendships, under such conditions, often grow rapidly. I wondered what it had been like, drawing lots to see who would die so that the rest could get home . . .

I shivered, violently. "The Watchers consider the Deadman Switch to be a form of human sacrifice," I told him.

Randon threw me a patient glance . . . but beneath the slightly amused sophistication there, I could tell he wasn't entirely comfortable with the ethics of it either. "I didn't bring you here to argue public morals with me," he said tartly. "I brought you here because—" he pursed his lips briefly— "because I thought you might be able to settle the question of whether or not the Cloud is really alive."

It was as if all the buried fears of my childhood had suddenly risen again from their half-forgotten shadows. To deliberately try and detect the presence of an entity that had coldly taken control of a dead human body . . .

To order DEADMAN SWITCH or any other Tim Zahn title listed below, just send the combined cover price/s to:

Baen Books
Dept. BA
260 Fifth Ave.
NY, NY 10001

Name ____________
Address ____________
City ______ State ______ Zip __

DEADMAN SWITCH • 69784-6 • 384 pp. • $3.95 ☐
COBRA • 65560-4 • 352 pp. • $3.50 ☐
COBRA STRIKE • 65551-5 • 352 pp. • $3.50 ☐
COBRA BARGAIN • 65383-0 • 420 pp. • $3.95 ☐
TRIPLET • 65341-5 • 384 pp. • $3.95 ☐
A COMING OF AGE • 65578-7 • 320 pp. • $3.50 ☐
SPINNERET • 65598-1 • 352 pp. • $3.50 ☐
CASCADE POINT • 65622-8 • 416 pp. • $3.50 ☐
"TIME BOMB" AND ZAHNDRY OTHERS • 65431-4 • 320 pp. • $3.50 ☐

WILL *YOU* SURVIVE?

In addition to Dean Ing's powerful science fiction novels—*Systemic Shock, Wild Country, Blood of Eagles* and others—he has written cogently and inventively about the art of survival. **The Chernobyl Syndrome** is the result of his research into life after a possible nuclear exchange . . . because as our civilization gets bigger and better, we become more and more dependent on its products. What would *you* do if the machine stops—or blows up?

Some of the topics Dean Ing covers:

* How to *make* a getaway airplane
* Honing your "crisis skills"
* Fleeing the firestorm: escape tactics for city-dwellers
* How to build a homemade fallout meter
* Civil defense, American style
* "Microfarming"—survival in five acres

And much, much more.

Also by Dean Ing, available through Baen Books:

ANASAZI

Why did the long-vanished Anasazi Indians retreat from their homes and gardens on the green mesa top to precarious cliffside cities? Were they afraid of someone—or some*thing*? "There's no evidence of warfare in the ruins of their earlier homes . . . but maybe the marauders they feared didn't wage war in the usual way," says Dean Ing. *Anasazi* postulates a race of alien beings who needed human bodies in order to survive on Earth—a race of aliens that *still* exists.

FIREFIGHT 2000

How do you integrate armies supplied with bayonets and ballistic missiles; citizens enjoying Volkswagens and Ferraris; cities drawing power from windmills and nuclear powerplants? Ing takes a look at these dichotomies, and more. This collection of fact and fiction serves as a metaphor for tomorrow: covering terror and hope, right guesses and wrong, high tech and thatched cottages.

Order Dean Ing's books listed above with this order form. Simply check your choices below and send the combined cover price/s to: Baen Books, Dept. BA, 260 Fifth Avenue, New York, New York 10001.

THE CHERNOBYL SYNDROME • 65345-8 • 320 pp. • $3.50 ____
ANASAZI • 65629-5 • 288 pp. • $2.95 ____
FIREFIGHT 2000 • 65650-X • 252 pp. • $2.95 ____